D1039540

Dᴿ Stanley Vollant:
Mon chemin innu

Du même auteur

- *Le futur prêt-à-porter. Comment la science va changer nos vies*, préface de Pierre Chastenay, Multimondes 2011.

- *Par-delà l'école machine,* en collaboration, MultiMondes, 2010.

- *Jos Montferrand, le géant des rivières*, XYZ, coll. Les grandes figures, 2007.

- *Échecs et mâles*, Les Intouchables, 2005.

- *L'éthique et le fric*, VLB Éditeur, 2000.

- *Louis Hémon, le fou du Lac*, XYZ, coll. Les grandes figures, 2000.

- *Le pays de tous les Québécois* (en collaboration), VLB Éditeur, 1998.

- *Léo-Ernest Ouimet, l'homme aux grandes vues*, XYZ, coll. Les grandes figures, 1997.

- *Joseph Casavant, le facteur d'orgues romantique*, XYZ, coll. Les grandes figures, 1995.

- *Le Québec à l'âge ingrat*, Boréal, 1993 (Prix littéraire Desjardins 1994).

- Jules Nadeau, *Hong Kong 1997 dans la gueule du Dragon rouge*, en collaboration, Québec/Amérique, 1990.

Catalogage avant publication de Bibliothèque et Archives nationales du Québec et Bibliothèque et Archives Canada

Sauvé, Mathieu-Robert

Dr Stanley Vollant : mon chemin innu

ISBN 978-2-89544-460-2

1. Vollant, Stanley. 2. Chirurgiens – Québec (Province) – Biographies. I. Titre : Mon chemin innu.

RD27.35.V64S28 2013   617.092   C2013-94106-1

Mathieu-Robert Sauvé

Dr Stanley Vollant :
Mon chemin innu

Récit biographique

ÉDITIONS MULTIMONDES

Photo de la page couverture: Christian Fleury

© Éditions MultiMondes, 2013
ISBN: 978-2-89544-460-2 (imprimé), 978-2-89544-509-8 (PDF),
978-2-89544-947-8 (EPUB)
Dépôt légal – Bibliothèque et Archives nationales du Québec, 2013
Dépôt légal – Bibliothèque et Archives Canada, 2013

ÉDITIONS MULTIMONDES
930, rue Pouliot
Québec (Québec) G1V 3N9
CANADA
Téléphone: 418 651-3885
Téléphone sans frais: 1 800 840-3029
Télécopie: 418 651-6822
Télécopie sans frais: 1 888 303-5931
multimondes@multim.com
http://www.multim.com

DISTRIBUTION AU CANADA
PROLOGUE INC.
1650, boul. Lionel-Bertrand
Boisbriand (Québec) J7H 1N7
CANADA
Téléphone: 450 434-0306
Tél. sans frais: 1 800 363-2864
Télécopie: 450 434-2627
Téléc. sans frais: 1 800 361-8088
prologue@prologue.ca
http://www.prologue.ca

DISTRIBUTION EN FRANCE
LIBRAIRIE DU QUÉBEC
30, rue Gay-Lussac
75005 Paris
FRANCE
Téléphone: 01 43 54 49 02
Télécopie: 01 43 54 39 15
direction@librairieduquebec.fr
http://www.librairieduquebec.fr

DISTRIBUTION EN BELGIQUE
La SDL Caravelle S.A.
Rue du Pré aux Oies, 303
Bruxelles
BELGIQUE
Téléphone: +32 2 240.93.00
Télécopie: +32 2 216.35.98
Carl.Neirynck@SDLCaravelle.com
http://www.SDLCaravelle.com/

DISTRIBUTION EN SUISSE
SERVIDIS SA
chemin des chalets 7
CH-1279 Chavannes-de-Bogis
SUISSE
Téléphone: (021) 803 26 26
Télécopie: (021) 803 26 29
pgavillet@servidis.ch
http://www.servidis.ch

Les Éditions MultiMondes reconnaissent l'aide financière du gouvernement du
Canada par l'entremise du Fonds du livre du Canada pour leurs activités d'édition.
Elles remercient la Société de développement des entreprises culturelles du Québec
(SODEC) pour son aide à l'édition et à la promotion. Elles remercient également le
Conseil des Arts du Canada de l'aide accordée à son programme de publication.

Gouvernement du Québec – Programme de crédit d'impôt pour l'édition de
livres– gestion SODEC.

100%

Imprimé avec de l'encre végétale sur du papier Rolland Enviro 100, contenant 100% de fibres
recyclées postconsommation, certifié Éco-Logo, procédé sans chlore et fabriqué à partir
d'énergie biogaz.

IMPRIMÉ AU CANADA/PRINTED IN CANADA

Table des matières

Le désespoir

Le 14 août 2007, vers 15 heures, Stanley Vollant est assis au sous-sol de sa maison d'Ottawa, dans le quartier de Finley Creek. Il tient une carabine pointée vers sa bouche et s'apprête à appuyer sur la gâchette.

Il veut mourir.

Il a tout essayé pour revoir la lumière au bout du tunnel, mais le désespoir est revenu, chaque jour plus fort. Sa vie est un désastre ; c'est aujourd'hui qu'elle se termine ! À la radio, on diffuse en boucle la chanson de Linkin Park intitulée *What I've done*, qui dit *Erase myself* (Effacez-moi). Oui, le suicide apparaît comme une solution radicale, définitive, à son mal de vivre. Son fils Xavier, né 18 mois plus tôt, est parti avec sa mère et les meubles de la maison, deux mois auparavant. Il devra se contenter d'un «droit de visite», une fin de semaine sur deux. Ses filles, Sophie-Alys et Cloé, vivent à Baie-Comeau avec sa première femme, dont il est séparé. Bref, il ne voit presque plus ses enfants et ça le fait souffrir. Il se sent seul et coupé des siens.

Rien ne va plus dans sa vie. Il a le sommeil perturbé, l'appétit désordonné, et l'apathie l'accable chaque fois qu'il se retrouve seul. Le footballeur infatigable, l'athlète qui a couru des marathons et des sprints n'est plus que l'ombre de lui-même. Chaque jour est une corvée de plus à subir. Il n'a plus aucun humour, ne veut pas sortir, voir des gens, parler à des amis. Il a le sentiment d'être un bon à rien. Tous les symptômes de la dépression majeure sont réunis. S'ajoute à cela l'impression, prégnante, que ça sera toujours comme ça.

Mais il ne s'en rend pas compte, car les médecins comme lui s'intéressent surtout au mal des autres.

Vu de l'extérieur, pourtant, rien n'y paraît. Stanley est un professeur d'université de 43 ans, déjà réputé, dont l'expertise professionnelle est recherchée. Une voiture décapotable de marque BMW est garée dans l'entrée et le chirurgien, lauréat d'honneurs nationaux qui l'ont mené jusqu'à la reine d'Angleterre, semble mener «la grosse vie»! Il touche un excellent salaire et sait qu'il ne manquera jamais de travail. La propriété achetée à Ottawa est vaste et luxueuse; une piscine creusée dans la cour invite à la baignade. Il se lève le matin, va travailler à l'hôpital Montfort et rentre en fin de soirée, après des quarts de travail qui s'étirent parfois sur douze heures. Au travail, il demeure professionnel et dévoué, mais quand l'adrénaline des urgences retombe, son état d'âme subit la même décélération.

Le petit garçon originaire de Pessamit, près de Baie-Comeau, sur la Côte-Nord du Québec, a pourtant de quoi être fier du chemin parcouru. Il a surmonté ses peurs des cadavres et du sang pour devenir, à 29 ans, en 1994, le premier chirurgien d'origine autochtone au Québec et l'un des tout premiers en Amérique… En cela, il demeure un modèle de réussite pour ses compatriotes. À l'hôpital, on reconnaît en lui un médecin habile et sensible. Confrère respecté par les pairs, il a intégré des éléments de linguistique dans son approche médicale afin de communiquer le plus souvent possible dans la langue maternelle de ses patients. «Quand vous savez dire une dizaine de mots comme "Bonjour!", "Comment allez-vous?", "Comment vous appelez-vous?" dans leur langue, vos patients l'apprécient énormément et il s'établit avec eux une relation d'intimité extraordinaire», aime-t-il répéter aux résidents. Il connaît ainsi, grâce à sa fabuleuse mémoire, les mots passe-partout d'une dizaine de langues.

Récemment encore, sa carrière s'annonçait bien. Il a présidé l'Association médicale du Québec. Plusieurs dossiers l'animaient d'une réelle passion. Il a plaidé notamment pour que les facultés de médecine du Québec libèrent des places pour des candidats autochtones, une initiative couronnée de succès dans l'Ouest canadien, mais qu'on tarde à appliquer dans l'Est... Reconnaissant son leadership, des hauts placés de partis politiques, tant au fédéral qu'au provincial, l'ont approché pour sonder ses ambitions sur la scène publique. Autant à Ottawa qu'à Québec, la perspective d'avoir dans ses rangs un médecin d'origine autochtone semble être un bon coup sur le plan de l'intégration des minorités. On laisse même planer la possibilité de lui confier un ministère...

Malheureusement, ces offres tombent à de bien mauvais moments, car il est chaque fois en processus de séparation et il doit se débattre avec le droit de la famille, se trouver un nouveau logement, déménager. Il refuse. Mauvais *timing*.

De toute façon, tout ça n'a plus aucune importance en cet après-midi brumeux où Stanley Vollant a décidé d'en finir. Il a pris l'arme de son grand-père, un fusil 30-06 capable d'abattre un orignal à 20 mètres, et l'a chargée. Stanley a l'habitude des armes à feu et sait parfaitement s'en servir. Il a lui-même chassé le chevreuil et l'ours pendant des années, sans compter les perdrix et les lièvres. Il ne se manquera pas, c'est certain. Il sait pour avoir vu plusieurs cas dans les hôpitaux que les personnes qui tentent de se tuer par la bouche ont un mauvais angle; aussi a-t-il l'intention d'utiliser un bâton permettant de prolonger son doigt. Comme ça, le coup de feu arrachera une partie du cerveau et ne lui laissera aucune chance de survie.

Comment en est-il arrivé là? Un malheur ne vient jamais seul. La vie de médecin est elle-même assez exigeante pour porter le meilleur praticien jusqu'au bord du gouffre. Les «docteurs» ont beau soigner les gens, ils ne sont pas à l'abri des maladies, et les problèmes de santé mentale les menacent autant que les autres. Dans la liste des professions les plus touchées par la dépression, les médecins trônent au sommet, et les chirurgiens sont reconnus pour être parmi les plus suicidaires. La pression de la productivité, le poids des responsabilités, l'épée de Damoclès des poursuites judiciaires, la crainte des erreurs médicales... À ses déboires matrimoniaux se sont ajoutés des revers de fortune qui ont alourdi son fardeau. Les dettes, à la suite du départ de Julie, ont complété le cauchemar.

Dans le noir, il aperçoit la photo de ses deux filles souriantes. Son fils Xavier y figure également. Le suicide peut soulager le désespoir d'un homme ; il ne comblera pas le besoin des enfants. Leur besoin d'affection, de soutien, d'amour. Leur besoin d'avoir un père vivant. Il prend une grande respiration, désamorce le fusil et le replace dans son armoire sécurisée.

Il décide de remettre sa vie en ordre.

La mort attendra.

❋ ❋ ❋

Aussi clairement qu'il était décidé à mourir, l'envie de vivre renaîtra progressivement. Mais il sait que son désespoir n'est pas disparu comme par enchantement. Impossible, pour lui, de reprendre le collier professionnel en faisant comme si de rien n'était. Il doit se reconstruire complètement, ce qui implique de partir à la découverte de lui-même. Il s'autorisera un long congé qui l'emmènera en pèlerinage sur le chemin de Compostelle, entre la France et l'Espagne. Depuis longtemps, il rêve de s'évader ainsi à travers le Massif central et les Pyrénées, sac au dos. Ce grand voyage prendra le temps qu'il faut, plusieurs mois peut-être, mais il est nécessaire pour sa survie. Il veut être un nomade comme ses ancêtres, mais les pieds dans le temps présent.

Il partira donc sur le chemin de Compostelle en 2008. C'est au cours de ce voyage – après 600 kilomètres en 30 jours de randonnée – qu'il fera un «rêve en haute définition, peut-être même une vision», précisera-t-il plus tard. Un rêve où il voit son grand-père lui conseiller de suspendre son pèlerinage pour le poursuivre au Québec, afin d'en faire profiter d'autres personnes. Sa vision est celle d'une grande manifestation à la gloire de la marche et des beautés de la vie. «Je me suis vu marcher d'une communauté autochtone à l'autre, formant une grande chaîne humaine entre le Labrador, le Québec et l'Ontario. Il y avait dans cette marche des membres des Premières Nations, mais aussi des Québécois et des gens de diverses origines, formant une grande famille.»

Stanley Vollant a définitivement tourné le dos à la pulsion de mort qui l'a conduit au bord du suicide. C'est pourtant cet événement qui a déclenché le formidable pèlerinage de 6 000 kilomètres à pied qu'il réalise au moment de rédiger cette biographie du Dr Vollant, à l'approche de ses 50 ans.

À ses compatriotes autochtones touchés par la problématique du suicide, il parle sans honte de cet épisode sombre de sa vie. Mais il souligne également ses réussites. Ça lui permet de dire qu'il existe toujours une deuxième chance dans la vie et que les obstacles ne sont jamais infranchissables... sauf dans notre tête.

Nadia Vollant avec Clarisse, sa mère.

Stanley dans les battures de Pessamit.

Mon enfance

Chasse, pêche et marées

Les plus lointains souvenirs d'enfance de Stanley Vollant remontent à la maison de ses grands-parents, Xavier et Marianna Vollant, rue Ashini, à Pessamit. «Nous passons beaucoup de temps en forêt, mais nous revenons toujours dans notre maison. Je me souviens du four à bois massif, en fonte, qui occupe le milieu de la cuisine. C'est probablement mon premier souvenir, vers l'âge de trois ou quatre ans. Je joue autour de ce four qui dégage une chaleur rassurante. Notre maison a l'électricité pour l'éclairage, mais notre chauffage provient de ce four à bois. On l'utilise aussi pour cuire les aliments et pour faire bouillir l'eau pour le thé.»

La famille habite une petite maison bâtie dans les années 1950. Au sous-sol, en terre battue, sont suspendues les trappes du grand-père: pièges à ours, à loutre, à castor. Ces objets de métal et de bois impressionnent l'enfant. Finement ouvragés, ils sont conçus pour déjouer les animaux les plus rusés. Le matériel de pêche s'y trouve également: filets, lignes, hameçons.

Au fond du sous-sol, dans la pénombre, il y a une rangée de «rognons» de castor séchés, classés en ordre du plus vieux au plus récent. Les rognons, explique-t-il, sont le terme poli pour testicules. Pourquoi les garder ainsi? «Ma grand-mère en fait des potions pour traiter l'asthme ou d'autres maladies, explique-t-il. C'est de la médecine traditionnelle. Elle les fait infuser dans une tasse d'eau bouillante. Plus les rognons sont vieux, plus ils sont efficaces. Pour moi, c'est une punition d'en avaler. L'odeur est repoussante et le goût, infect.»

Quand la grand-mère le prie d'aller chercher un rognon pour une mixture, il sait que les choses vont mal tourner. Le remède va suivre. Souvent, ce préambule suffit pour qu'il retrouve la santé. «Je crois qu'elle avait inventé sans le savoir une potion contre le décrochage scolaire, raconte-t-il en riant. Quand je me disais trop fiévreux pour aller à l'école, ma grand-mère me menaçait de me faire boire des testicules de castor. Tout à coup, je me sentais mieux.»

Dans cette maison, il y a de l'eau froide qui coule d'un petit robinet, mais pas d'eau chaude. L'enfant prend son bain dans une cuvette en aluminium, au milieu de la pièce. «Ma grand-mère verse de l'eau chauffée dans la cuvette et me savonne. On aura une baignoire – et l'eau chaude – quand j'aurai 10 ans.»

Il appelle ses grands-parents «nukum» et «nemushum», ce qui signifie littéralement «grand-papa» et «grand-maman» en innu. «Ce sont mes grands-parents qui m'élèvent. Dans mon esprit, ce sont mes vrais parents. Ma mère passe régulièrement à la maison, mais ne reste jamais très longtemps.»

La famille de Stanley est, de son propre aveu, étrange. Une chatte n'y retrouverait pas ses petits. Sa mère, Clarisse[1], a eu trois autres enfants après la naissance de Stanley: Éric, Myriam et Nadia. Mais aucun ne vit avec eux.

De plus, il y a tout le temps des gens qui vont et viennent dans cette maison. Ils entrent sans frapper et repartent sans crier gare. Deux grands-oncles de Stanley y vivent en permanence: Gabriel et Arthur. Ce sont les frères de la grand-mère Marianna. La tante Anne-Marie et son mari, l'oncle Michel (frère de Clarisse), sont également très présents même s'ils ne sont pas officiellement résidents.

---

1. Clarisse, que tout le monde préférait appeler Claire (deux prénoms qu'elle détestait de toute façon), était la transcription francophone approximative de *Kameleshkush*, signifiant «la belle femme» en innu.

Les grands-parents contribuent à la confusion en appelant ce dernier «ton grand frère» alors que c'est un oncle. «À mes yeux d'enfant, ma mère biologique est une grande sœur, car elle était la fille de mes parents; cette femme qui dit être ma mère... n'a-t-elle pas le même lien filial que moi avec *nemushum* et *nukum*? C'est du moins ce que je comprends.»

Quand il veut comparer cette famille à des familles normales, il s'égare. Les repères familiaux typiques ne lui sont d'aucun recours. Mais cela ne l'empêche pas d'être heureux. L'enfance de Stanley est celle d'un garçon libre, entouré d'amour et de soins parentaux. À la maison, ça sent la bonne nourriture et il y a toujours des oncles, des cousins et d'autres membres de la famille élargie pour s'intéresser à lui.

Avec ses amis, il explore la forêt et les battures de Pessamit à la recherche d'écrevisses, de grenouilles et d'invertébrés d'eau salée. Leur jeu préféré, 12 mois par an, est le hockey bottine. On forme deux équipes et celles-ci s'affrontent et tentent de compter des buts avec une balle.

Stanley joue aussi beaucoup à la guerre, incarnant tantôt un soldat américain, tantôt un officier allemand. Lui, ses amis Herman Washish et ses frères Jérémie et Germain, Hubert et Guillaume Picard, ses cousins Steve et Robin Bacon changent d'époque dans la même journée, s'inventant des affrontements moyenâgeux où leurs épées sont des branches de roseaux cueillis sur les rivages. À la fonte des neiges, ils construisent des barrages dans les clairières sablonneuses. Avec leurs pelles, ils érigent des digues de quatre ou cinq pieds de hauteur, où l'eau des torrents forme un bassin de rétention qui se rompt inévitablement, à la grande joie des enfants.

Sur la rue Ashimi, il règne une joie de vivre de tous les instants. Chez les Vollant, tout se déroule en langue innue. On parle de la direction des vents, de la chasse et de la pêche. L'état de la marée est un sujet inépuisable. Elle monte, elle descend avec plus ou moins de vigueur qu'au dernier cycle. On parle aussi des humeurs de la rivière Pessamit. La pêche sera-t-elle bonne cette année? Le saumon montera-t-il tôt ou tard? «Les hommes parlent beaucoup de piégeage; la trappe est leur quotidien et ils échangent des trucs. On dirait que ce sujet est sans fin.»

Si la technologie prendra du temps à franchir le seuil de la porte, cela n'empêche pas le village d'être connecté au reste du monde. Un des plus anciens souvenirs «technologiques» de Stanley est l'alunissage du module d'*Apollo 11* et les premiers pas sur la Lune de Neil Armstrong, le 21 juillet 1969. Il a tout juste quatre ans. «Nous sommes réunis autour d'un téléviseur dans notre salon rempli de monde et je suis cet exploit avec fascination, en direct. Je trouve merveilleux de penser que la Lune, qu'on observe tous les soirs en mettant le pied sur la galerie, a accueilli des hommes.»

Dans les années 1970, le réfrigérateur entre à la maison. Mais personne ne connaît ce nouvel appareil électroménager. Que met-on dans un frigo? Voilà la question de la semaine. Incertain, le grand-père se présente au marché d'alimentation avec une page découpée d'un catalogue Sears où on voit la photo d'un frigo ouvert. Il dit au vendeur: «Donnez-moi tout ce que vous voyez ici!» «Plusieurs années plus tard, on trouve encore dans le réfrigérateur de mes grands-parents des objets bizarres comme la salière et la poivrière», relate Stanley Vollant. Probablement des objets que le vendeur avait mal identifiés à l'époque…

Destin dévié

S'il est aujourd'hui l'un de ses plus illustres ambassadeurs, Stanley Vollant aurait pu ne jamais mettre les pieds à Pessamit, car c'est à 450 kilomètres de là, à la crèche Saint-Vincent, de Lévis, qu'il voit le jour, le 4 avril 1965. Sa mère, devenue enceinte à la suite d'une liaison avec un Blanc, a donné naissance à son bébé dans un hôpital du Sud. Ce n'est pas son choix. Elle est une «fille mère», comme on appelle à cette époque les femmes devenues enceintes hors des liens du mariage. Leurs enfants sont le plus souvent donnés en adoption dans une famille d'accueil.

«À l'époque, les filles mères, et à plus forte raison lorsqu'elles sont autochtones, ne peuvent pas accoucher dans un hôpital régional et retourner tout bonnement chez elles, explique Stanley. Au terme de sa grossesse, ma mère a dû se rendre chez les religieuses afin de me donner en adoption dans une famille blanche. C'était comme ça qu'on "sauvait l'âme" des bébés comme moi.»

Xavier Vollant, le grand-père maternel, ne l'entend pas de cette façon. Son petit-fils destiné à une famille de Québec après l'orphelinat? Jamais!

Il est prêt à aller lui-même chercher le nourrisson à la crèche et prend rendez-vous avec un représentant de la Compagnie de la Baie d'Hudson pour brader sa réserve de peaux. Il obtient une avance pour une saison de chasse et réussit à rassembler suffisamment d'argent pour se payer un billet d'avion aller-retour entre Baie-Comeau et Québec. Son objectif: ramener le poupon parmi les siens. Le bébé sera adopté légalement par ses grands-parents maternels quelques jours après leur retour.

En posant ce geste, Xavier Vollant marque à jamais le destin de Stanley qui ne cessera d'exprimer sa reconnaissance envers son grand-père. Il appréciera, plus que tout, les voyages en forêt avec ce dernier. Même s'il connaîtra la souffrance des longues marches à travers bois, il gardera de ces périples le plaisir de la quête et de la camaraderie innue.

Les Innus de Pessamit

Compte tenu de l'importance que Stanley accorde à ses origines, il convient de donner quelques informations sur les Innus, qui forment une des 11 nations autochtones du Québec[2]. Au nombre d'environ 19 000, ils vivent dans neuf villages, dont sept sur la Côte-Nord du Québec[3]. Comme pour les autres nations, les Innus (que les missionnaires français ont appelé Montagnais) connaissent une forte hausse démographique. Il n'est pas rare de voir des familles de cinq, voire six enfants à une époque où le reste du Québec connaît une fécondité de 1,7 enfant par femme. On est ici dans un autre monde.

Les Innus sont de la famille linguistique algonquienne et ont gardé leur langue qui est aujourd'hui enseignée dans les écoles et parlée, très majoritairement, dans la population. À Essipit et Mashteuiatsh, cependant, la langue serait en déclin, les jeunes étant de moins en moins enclins à l'utiliser dans leur vie quotidienne. «Malgré la force actuelle de la langue innue au sein des communautés, certains indices sonnent l'alarme et montrent que le processus de perte de la langue ancestrale est amorcé, prévient le Conseil de bande. Comme toute langue minoritaire, la langue innue est aussi menacée de disparaître. Cette menace vient du contexte biculturel et bilingue dans lequel les Innus ont vécu et continueront de vivre.»

Pessamit, où vivent près de 3 000 Innus (un autre millier vit hors réserve), est la patrie des Bacon, Hervieux, Picard et Vollant, des patronymes datant de la colonisation. Explication : les missionnaires qui baptisaient les «sauvages» préféraient

---

2. Il serait plus juste de parler de 10 Premières Nations et d'une nation inuk, car les Inuits ne sont pas considérés comme une Première Nation en raison de leur arrivée tardive sur le continent. Plusieurs conflits tribaux les ont opposés par ailleurs aux Premières Nations.

3. Statistique des populations autochtones du Québec, 2012, http://www.autochtones.gouv.qc.ca/nations/population.htm#innus

associer les catéchumènes à un trait distinctif plutôt qu'à leur identité locale, souvent imprononçable. L'histoire de ce coin de pays remonte à 1534, lorsque Jacques Cartier y fait la rencontre d'un peuple qu'il nomme Papinachois : il s'agit des ancêtres des Innus. En 1603, Samuel de Champlain identifie à son tour la présence d'un peuple vivant sur les rivages de la «Bersiamiste». Jusqu'à la fin du 18e siècle, les missionnaires jésuites font la conversion des Montagnais fréquentant les divers postes de traite situés le long du Saint-Laurent. En 1849, les habitants de Betsiamites défrichent le site du village actuel dans le but d'y construire une chapelle. L'acte de création de la réserve indienne est signé en 1862. En 2001, le Conseil de bande reprend la dénomination vernaculaire de Pessamit.

Selon les historiens Pierre Frénette et Dorothée Picard, les premières années de l'histoire de la réserve passent inaperçues, car le nomadisme est encore ancré dans les mœurs des familles. Le village existe, mais sans être réellement utilisé. Les Innus sont chasseurs de caribou. Le cervidé étant un grand migrateur, il force ses prédateurs à parcourir de longues distances à sa suite. À Pessamit, chasseurs et pêcheurs ne se rencontrent que pour quelques événements collectifs lorsque la saison le permet. Ils adoptent bien entendu quelques innovations technologiques comme le canot de toile et le poêle de fonte, mais ils demeurent satisfaits des outils traditionnels.

Outre la grande chasse et la pratique de la pêche au saumon, les Innus de Pessamit récoltent le petit gibier autour des campements : lièvres, perdrix, castors. Ils traqueront l'ours si l'occasion se présente, car ils feront bon usage de sa fourrure et sa chair[4].

---

4. Faits tirés du site du Conseil des Innus de Pessamit qui renvoie à Pierre Frénette et Dorothée Picard, *Histoire et culture innues de Betsiamites*.

Aujourd'hui, l'activité économique de Pessamit s'articule autour du tourisme et du développement énergétique et on souhaite investir le secteur de l'industrie minière. En 2012, les Innus se sont entendus avec Hydro-Québec afin de développer conjointement deux minicentrales sur la rivière Sault-aux-Cochons[5]. Énergie Pessamit veut aussi développer la filière éolienne.

Enfin, les Innus de Pessamit sont présents sur la scène artistique. L'artisanat de Pessamit est reconnu dans la région. Et c'est à Pessamit qu'est né Claude McKenzie, un des musiciens du groupe Kashtin dont le chanteur, Florent Vollant, est un lointain cousin de Stanley. Ce dernier a beaucoup contribué à faire connaître la culture et la langue innues puisqu'il a enregistré plusieurs disques et donné des concerts aux quatre coins de l'Amérique.

D'ailleurs, quand Stanley fêtera la fin de l'année 1990 avec les étudiants en médecine de l'Université de Montréal, il interprétera deux chansons de Kashtin, *E Uassiuian* (Mon enfance) et *Tshinanu* (Nous autres). «Je m'étais trouvé des musiciens parmi les résidents en médecine et ils m'ont accompagné. J'ai chanté ces deux chansons qui puisent au plus profond de mes émotions. Je ne chante pas très bien, mais en innu, personne ne pouvait remarquer que je faussais», relate-t-il en riant.

Éric, Myriam et Nadia

Même s'il est le plus vieux des quatre enfants de sa mère, Stanley apprend uniquement à l'âge de 25 ans l'existence d'Éric, le deuxième. Et il en est informé dans des conditions tragiques puisque ce frère est déjà mort, accidentellement, un an plus tôt.

Né dans un orphelinat semblable à celui de Lévis, le 8 août 1966, Éric Vollant n'aura pas eu la chance d'être

---

5. Source: *Le Soleil*, 3 juillet 2012.

adopté par ses grands-parents. La raison est simple : ceux-ci n'en connaissent pas l'existence. Ils n'ont jamais rien su du deuxième accouchement de leur fille. « Ma mère a réussi à mener sa grossesse à terme dans le plus grand secret et elle a mis son bébé au monde à l'écart du village. Très peu de gens connaissaient le secret. Je suis certain que *Nukum* et *Nemushum* l'auraient adopté, comme ils l'avaient fait avec moi. Ou qu'ils auraient trouvé une famille prête à le prendre en charge dans la communauté innue. »

Mis en adoption dans une famille non autochtone de la Rive-Sud de Québec, Éric a connu une enfance sans histoire jusqu'à ce qu'il commence à s'intéresser à ses racines. Le plus ironique, c'est qu'il venait passer ses vacances à une trentaine de kilomètres de Pessamit. À l'époque, on ne révélait pas le nom des parents biologiques des enfants adoptés. Les registres étaient gardés secrets pour éviter que les familles d'accueil voient partir un beau matin l'enfant qu'ils avaient élevé.

On lui avait révélé ses origines autochtones, du côté de sa mère, et il était curieux d'en savoir plus. Il aurait sillonné les réserves autour de la capitale québécoise dans le but de découvrir les traces de ses origines et serait même venu dans la réserve de Pessamit. « On m'a dit qu'il était entré au dépanneur Wabush, à trois maisons de chez moi. J'ai peut-être déjà croisé ce garçon, mon frère, sans le savoir… »

Le jeune homme est décédé d'un accident de moto, reprend Stanley : « De toute évidence, son accident est un suicide déguisé. On sait qu'il avait des symptômes dépressifs. »

Comment la vérité a-t-elle été révélée ? C'est la mère adoptive du jeune homme qui a voulu poursuivre la recherche identitaire de son fils, après sa mort. « Ça l'a menée dans la région, à la suite d'une émission de télévision animée par Denise Bombardier au sujet de l'adoption des orphelins autochtones. Elle a suivi une piste qui l'a menée directement chez moi. J'ai regardé souvent les photos d'Éric. Lui et moi, on se ressemblait comme deux gouttes d'eau.»

La première des deux sœurs de Stanley naîtra quelques années plus tard. «Ma sœur Myriam est née en 1968. Je dis bien ma sœur, car chez les autochtones, la notion de demi-frère ou demi-sœur n'existe pas. On est tous frères ou sœurs dès qu'on a un parent commun.»

Née une fois de plus hors du mariage, Myriam sera adop-tée à sa naissance par ses oncle et tante, Johny et Pierrette. Ces derniers formaient un couple infertile et rêvaient d'avoir un enfant. «Je me souviens d'avoir joué avec Myriam sans savoir qu'elle était ma sœur. Je la croyais ma cousine. Ça a été une surprise de l'apprendre par la bouche d'autres personnes.»

Nadia vient au monde en 1969. C'est, de tous les membres de la famille, celle dont Stanley demeurera le plus proche, sa vie durant. Pourtant, à sa naissance, ça ne se passe pas très bien. Le garçon a du caractère et ses frasques frôlent la catastrophe. «À cette époque, ma mère veut fuir la Côte-Nord pour se rapprocher de la ville. Elle décide de s'établir à Montréal, peu après avoir accouché de Nadia. Elle m'amène avec elle. J'ai quatre ans, mais j'ai déjà la tête dure : je ne veux pas quitter mon village et je ne veux rien savoir de la grande ville. Forcé de suivre ma mère, je souffre beaucoup d'être séparé de mes grands-parents. Le bruit, la pollution, l'éloignement de mes proches me rendent fou. Je fais des fugues. Un jour, je mets le feu à un tas de foin dans l'arrière-cour d'une station-service. Les pompiers viennent aussitôt, provoquant la panique dans le quartier.»

Heureusement, la citerne de pétrole n'est pas touchée et les dégâts sont limités. La mère de Stanley comprend toutefois que la ville n'est pas faite pour son fils. «Elle m'a renvoyé chez mes grands-parents et a poursuivi son épisode montréalais seule avec Nadia.»

Stanley retrouvera sa sœur longtemps après, au moment où elle reviendra s'installer à Pessamit. Ce triste épisode clôt le seul moment où l'enfant aura vécu avec sa mère, loin de son village.

De retour parmi les siens, Stanley n'est pas un écolier de tout repos. «En maternelle, je me bats souvent dans la cour de récréation. Je fais des mauvais coups. Je suis un garçon turbulent, indomptable. J'imagine qu'il y a dans ce comportement une sorte de révolte.»

Xavier

Personnalité centrale dans la vie de Stanley Vollant, le grand-père Xavier est l'homme qui a lui aura permis de connaître un milieu de vie stimulant et d'avoir très tôt un modèle paternel fort. «Cet homme m'a aimé profondément, relate-t-il. Pourtant, il ne m'a jamais donné un seul baiser et ne m'a jamais pris dans ses bras.»

Tout un contraste avec l'affection que démontre le médecin envers ses enfants, qu'il étreint sans ménagement quand il les retrouve. Il ne fait pas économie de tendresse et leur exprime des «je t'aime» bien sentis. Autre temps, autres mœurs. Chez les autochtones – et chez plusieurs familles blanches à cette époque –, on ne manifestait pas publiquement ses émotions. On élevait les jeunes sans les toucher.

Né en 1914, Xavier est charpenté comme un chêne. Nettement plus grand que la moyenne des Innus avec ses 5 pieds 11 pouces, c'est un homme costaud et extrêmement résistant. C'est aussi un catholique pratiquant. Il se rend à l'église tous les jours et prie très souvent. Il porte une longue cicatrice sur son flanc droit; c'est la marque d'une opération subie dans sa jeunesse. On lui a retiré un rein à cause de la tuberculose, une maladie épidémique qui a fortement touché les autochtones dès la colonisation et qui fait encore des ravages de nos jours, avec des taux de contamination six à sept fois plus élevés que dans la population. Au moment d'écrire ces lignes, quatre familles sont en quarantaine à Pessamit en raison d'une contamination de tuberculose, et une personne en est morte. «Mes deux grands-parents, ma mère et quelques-unes de mes tantes ont été atteintes de tuberculose à un point où ils ont dû séjourner en sanatorium», relate le médecin.

Xavier connaît la privation et ne recule devant aucun effort. Il souffre dans les portages, mais sans mot dire. Il atteint ses buts sans se plaindre. Il encourage l'enfant quand ils marchent dans le bois, ensemble. Il lui dit: «Lâche pas, Stanley, sinon personne d'autre ne va marcher à ta place.»

Pendant l'hiver, le petit s'ennuie de son grand-père et c'est toujours avec beaucoup d'émotion qu'il l'accueille au retour de la grande chasse, en mai. Mais Xavier est toujours physiquement très affaibli au terme de ces expéditions. Bichonné et bien nourri par Marianna, il reprend des forces et engraisse durant l'été, comme le font les marmottes.

La famille d'origine de Xavier Vollant était nomade, ce qui signifie qu'elle se déplaçait durant les quatre saisons, ne s'arrêtant dans les villages qu'aux moments des grandes rencontres ou des fêtes (qu'on appelle les «pow-wow»). Nés dans les bois, Xavier et sa femme sont donc les premiers de la lignée à avoir vécu dans une maison. Tout est à apprendre pour ce couple dont la sédentarité ne va pas de soi, comme le démontre l'anecdote du frigo.

Malgré tout, le grand-père est un homme intelligent, débrouillard, qui a montré beaucoup de choses à ses proches, dont l'importance du travail bien fait. «Il y avait une grande rigueur dans tout ce qu'il exécutait dans la forêt. Il avait une éthique du travail qui m'a inspiré toute ma vie.»

Il emmène son petit-fils avec lui, très jeune, sur les rivages de la rivière Pessamit. Leur chien court au-devant des marcheurs. Ils tendent les filets et pêchent le saumon et la truite. Le vieil homme et l'enfant passent de grandes journées ensemble ; ils tendent les filets et capturent les poissons ; ils les nettoient ensuite, puis les font fumer en saison, repérant au passage de bons endroits pour la trappe.

Autodidacte, Xavier a appris à construire une maison, du solage à la toiture. Il maîtrise les rudiments de l'électricité et de la plomberie. Il est vrai que plusieurs éléments de l'habitation ont dû être retravaillés après sa mort, mais cet homme semblait comprendre d'instinct comment les systèmes fonctionnaient. Avec quelques outils, il pouvait réparer la motoneige en plein hiver ou remettre les moteurs des bateaux à neuf l'été. Il était capable de coudre et de tenir maison.

Grand-père Xavier a un penchant pour la bouteille, mais il consomme rarement. Quand il boit, ça paraît. Sa femme a remarqué un tic étrange qui le trahit : sa langue sort de sa bouche. «Quand elle voit sa langue pendre au bord de ses lèvres, ma grand-mère devient furieuse et dit : "Mon serpent, tu as pris d'la bière". Même si elle est fâchée, c'est très drôle.»

Sous l'emprise de l'alcool, Xavier ne devient pas un de ces hommes violents ou impulsifs qui vous démolissent une maison pour un oui ou pour un non. Mais il n'est pas non plus un ange… Un jour, il réclame de l'argent pour boire ; sa femme refuse catégoriquement. Voyant cela, il coupe l'électricité de la maison.

L'alcool sera tout de même responsable de sa mort, en 1982. Sorti fumer une cigarette à l'extérieur d'un bar de Baie-Comeau, il est heurté violemment par un chauffard, apparemment ivre, qui a dévié de sa route. «Ce fut mon premier grand deuil. J'ai interrompu mes études au collège de Limoilou pour venir assister aux funérailles. Sur son cercueil, je lui ai promis que si j'avais un fils un jour, je l'appellerais Xavier. J'ai tenu parole, presque 23 ans plus tard. Mon garçon porte le prénom de mon grand-père.»

Chaque fois que Stanley va à Pessamit et qu'il aperçoit l'endroit où le drame s'est produit, il ressent une vive émotion. «Perdre son père, c'est un choc pour un jeune homme. J'avais encore besoin de lui, de son enseignement, de son amour. Avec sa disparition, je perdais une partie de mon enfance. Je perdais mes plus belles années à Pessamit.»

L'éducation, pour son grand-père, aura toujours été une valeur importante. Elle peut permettre aux autochtones de les aider à se sortir de leur marasme. Elle donne des outils pour négocier, pour s'affirmer dans le domaine du droit, sans parler des expertises qu'on acquiert en allant au collège et à l'université. Lui-même a connu une humiliation qu'il n'a jamais digérée. Toute sa vie, il s'est demandé s'il aurait agi autrement s'il avait eu de l'éducation.

Ça se passe en 1952, alors que la rivière où il pêche pour nourrir sa famille regorge de poissons. Aux termes de multiples études, la société d'État en est venue à la conclusion que la Pessamit a un potentiel hydroélectrique assez intéressant pour justifier quelques turbines. Les ingénieurs d'Hydro-Québec ont construit des digues et des barrages qui ont modifié le parcours migratoire des salmonidés. Résultat : les turbines ont produit 912 mégawatts d'électricité dès 1956, mais les pêches dans les filets de Xavier ont décliné jusqu'à la disette. À partir des années 1960, alors que deux centrales modifient le cours de la rivière (Bersimis 1 en 1956 et Bersimis 2 en 1959[6]), les saumons ont déserté la rivière.

«Je me souviens d'une marche en forêt dans la vallée. *Mushum* s'était arrêté au sommet d'une colline et était resté silencieux quelques instants. Il m'avait expliqué que, dans les années 1950, Hydro-Québec avait prévenu les chasseurs et

6. Pour la plupart des locuteurs, la rivière Pessamit est mieux connue sous le nom de rivière Betsiamites. Nous employons dans cet ouvrage la graphie innue.

trappeurs des environs que le territoire serait bientôt inondé. Cette nouvelle l'avait atterré, mais il n'avait rien dit. Quand le barrage a été construit, il a reçu en compensation pour les pertes de son territoire… une boîte de balle de 30-30. Une boîte de munitions. C'est tout.»

Il y avait dans la voix du vieil homme beaucoup d'amertume. «À l'époque, les Indiens étaient soumis. Muets. Ils ne disaient rien pour manifester leur rage. Question d'éducation. Les «sauvages», on était élevés à subir sans mot dire. On n'avait pas le droit de s'opposer… Tu acceptes ce qu'on te donne et tu fermes ta gueule.»

Xavier a souvent parlé de cet événement à son petit-fils. «Il me disait que si c'était à refaire, il aurait probablement plus envie de leur tirer dessus, les gars de l'Hydro…»

Dire que Xavier a eu de l'influence dans la vie de Stanley est un euphémisme. C'est certainement le premier à l'avoir incité à se donner une formation universitaire. Ça s'est passé en langue innue sur le perron de la maison familiale. «J'ai environ 14 ans, j'arrive en vélo. Mon grand-père est sur la véranda et parle de chasse avec des invités. Il sait très bien que je l'entends parce qu'il parle fort. «Regardez Stanley, lance-t-il, c'est un bon petit gars. En forêt, il a du courage et de la détermination. Il est très intelligent. Vous savez, mon fils ira à l'*aniversité* (sic). Il ira à l'école des avocats et il reviendra défendre nos droits. Vous verrez, ce garçon va nous surprendre.»

Stanley a souvent réfléchi à cette phrase. «Je ne suis pas devenu avocat. Vivre dans le conflit permanent et les textes de loi, je n'aurais pas été capable. Mais j'ai interprété son propos comme un encouragement à me dépasser. Ce que souhaitait mon grand-père, au fond, c'était que j'aille plus loin que lui et que je revienne comme un modèle de réussite dans la communauté. Par «Tu vas défendre nos droits», je crois qu'il signifiait son espoir de voir un jour quelqu'un de la nation innue s'asseoir à la même table que les élus de la majorité politique et parler d'égal à égal avec eux.»

Nukum Marianna

La grand-mère de Stanley est petite et a un visage ridé, où sont enfoncés deux yeux marron que la vieillesse masquera de cataractes. Une boule de chair pend près de son nez et l'enfant a souvent eu envie de la lui crever. Ancienne alcoolique, elle a mis fin à sa consommation plusieurs années avant l'adoption de Stanley, de sorte qu'il ne l'a jamais vu boire une seule goutte d'alcool. Femme dévouée, elle s'est toujours beaucoup occupée de lui. «Peut-être trop», chuchotent les mauvaises langues, car l'enfant est toujours dans ses jupes. «C'était une femme généreuse et inspirante. Elle était très forte et avait du caractère.»

C'est elle qu'on voit le plus souvent en compagnie de Stanley et de ses sœurs sur les photos de famille. Elle est présente aux rencontres de parents, à l'école, aux remises de diplômes. C'est elle qui le console et l'encourage dans les mauvais jours. Stanley aime aussi dire qu'il a hérité de son talent de guérisseuse. «J'ai suivi ses pas en devenant docteur. Elle pratiquait une médecine traditionnelle basée sur l'héritage oral. Moi, j'ai reçu une formation plus conventionnelle, héritée d'une longue lignée de cliniciens. Je crois que les deux peuvent converger à l'occasion, et c'est une bonne chose de part et d'autre.»

L'enfant réalise l'importance de cette femme durant une grosse tempête de neige. *Nukum* est malade et doit être soignée loin de Pessamit. Elle est hospitalisée pendant près de 14 jours. Stanley s'inquiète et se sent abandonné. «J'ai longtemps eu des rêves étranges où je voyais des monstres venir s'emparer de moi; des genres de monstres mécaniques (que les enfants appellent "transformers") qui m'agrippaient et m'enlevaient pour m'emmener très loin. Ça date de cette époque. Je crois que j'ai vraiment eu peur, cette fois-là, de perdre ma grand-mère. Cette absence aurait été ma fin. Heureusement, c'était une fausse alerte; elle est revenue peu après, fatiguée, mais bien vivante.»

Comme modèle féminin, *Nukum* aura laissé une marque impérissable de bonté et de connaissances ancestrales. «J'avais avec elle des rapports très tendres. Je m'assoyais à ses côtés et nous parlions pendant des heures.»

Elle a aussi laissé au petit-fils un trait de caractère qui aurait pu s'avérer catastrophique pour son avenir professionnel: la phobie du sang humain. Elle avait si peur de l'hémoglobine qu'elle risquait la crise d'apoplexie à la moindre coupure. Nous y reviendrons.

André Racine

Le père biologique de Stanley Vollant s'appelle André Racine. Sa mère ne lui cache pas son existence. Elle sait où trouver son ex-conjoint et a proposé à son fils de leur organiser une rencontre. Stanley n'a pas refusé formellement, mais n'a pas manifesté son intention de façon nette et affirmée. De toute façon, les choses ne se sont jamais mises en place pour que la rencontre à trois existe.

En 1994 survient un événement inattendu. Stanley est dans la maison de la rue Champagneur, à Outremont, où il vient d'aménager avec sa future femme, Marie-Ève Morisset. Il est alors âgé de 29 ans et s'apprête à entamer le dernier droit de sa spécialité médicale. L'étude de la chirurgie, ça occupe l'esprit! Aussi le jeune homme a très peu dormi de la nuit et il est midi. Ça sonne à la porte de l'appartement. Il anticipe la visite d'un témoin de Jéhovah! Il est bien décidé à refuser toute sollicitation. Ce n'est pas un solliciteur qui lui fait face, mais un homme de grande taille, qui affiche un sourire poli. «La personne en face de moi dit: "Bonjour Stanley. Mon nom est André Racine et je suis ton père!"»

L'effet est maximal. «J'ai figé sur place, incapable de dire un mot», relate Stanley. Après quelques secondes, il reprend contenance et s'adresse à l'homme : «Je vous demande pardon pour mon accueil un peu sec. Je m'attendais à des emmerdeurs et j'ai mal dormi la nuit dernière. Entrez, je vous prie. Nous allons parler.»

André Racine entre à sa suite jusqu'à la cuisine et les deux hommes délient leur langue. Une certaine intimité s'installe au fil de la conversation. Stanley interroge le nouveau venu sur les circonstances de sa rencontre avec sa mère. Pendant qu'il parle, Stanley scrute son interlocuteur, car il tente d'identifier des traits physiques qu'ils auraient en commun : yeux, nez, bouche, oreilles, cheveux.

À la fin de la conversation, Stanley est reconnaissant envers son père d'être venu le voir. Il prononce une formule de politesse sur un ton cordial : «Je vous remercie de m'avoir donné ces détails, monsieur Racine. Ça m'en apprend un peu sur mes origines biologiques. Merci d'être venu me voir.»

Emporté par cet élan, le nouveau venu demande si le jeune homme serait intéressé à ce qu'ils se revoient. «Non, ça ne sera pas nécessaire, répond spontanément le fils. Vous êtes mon géniteur. Vous n'étiez pas là à ma naissance ni à ma première communion. C'est un autre qui m'a amené chez le dentiste, qui m'a consolé à ma première blessure, à mes premières déceptions. Ce n'est pas vous qui m'avez appris à être un homme. C'est mon grand-père.»

La conclusion est sans appel : «Je crois qu'on s'est tout dit cet après-midi.»

Les deux hommes ne se sont jamais revus.

Les choses auraient pu en rester là, mais le père biologique est revenu hanter Stanley en 2005, à l'occasion de la naissance de son fils. Les deux filles Vollant rendent une visite au petit frère et Chloé demande à son père : «Quand verra-t-on papi André?» Elles sont séparées de leur père depuis plusieurs mois et ne le voient qu'épisodiquement. Stanley a voulu contourner la question des origines en prétendant que son père biologique était disparu. «Je leur avais dit que mon père était mort et qu'il était monté au ciel. Sauf qu'après mon divorce, leur mère leur a raconté la vérité. Elle leur a dit que André était bien vivant; elle l'avait elle-même rencontré... Ça m'a forcé à regarder la chose sous de nouvelles perspectives. Je me suis demandé : «Et si c'était important pour mes enfants?» Rencontrer leur grand-père biologique aurait peut-être un sens différent pour elles et pour mon fils. J'avais peu connu ma mère à cause de ses problèmes de consommation; je l'avais peu vue à mesure que je grandissais. J'étais désormais orphelin de mes grands-parents. Le père biologique était le dernier de mes parents encore en vie... Je me suis mis à sa recherche pour établir une relation. Je voulais savoir qui était cet homme.»

Malheureusement, ses efforts ne portent pas fruit. Et ce n'est pas faute d'y avoir mis l'énergie. Il accepte de participer à l'émission de télévision *Les Retrouvailles*, animée par Claire Lamarche, très populaire durant les années 2000. Il affirmera en direct, en avril 2008, son intention de retrouver son père biologique.

Tous ces appels resteront vains. M. Racine est demeuré introuvable.

Qu'aurait-il souhaité dire à son père? «Je lui aurais demandé de me parler de lui, de m'expliquer comment il avait rencontré ma mère et comment ils avaient vécu leur relation. Qu'est-ce qui s'est passé pour que ça se termine? J'aurais voulu en savoir le plus possible sur lui, cet homme de qui j'ai hérité de la moitié de mes gènes... Je lui aurais suggéré d'établir une relation, dans le but de lui présenter ses petits-enfants...»

Des regrets? «Non, il ne faut pas revenir sur le passé. Ce qui a été fait est fait. À l'époque où je l'ai rencontré, je n'étais pas prêt. Aujourd'hui, je le serais. Malheureusement, le destin en a décidé autrement.»

Clarisse

Dans les photos d'enfance de Stanley Vollant, qu'il garde précieusement à l'intérieur d'une boîte d'albums de famille, les scènes de bonheur dominent. On le voit rire avec sa mère, ses sœurs ou ses amis à Noël et aux anniversaires. On le voit sauter, courir dans la nature ou chasser avec son grand-père. Il souffle les bougies de son gâteau, reçoit un diplôme, pose avec une bête abattue dans la forêt.

Sur ces images, Clarisse apparaît le plus souvent comme une femme aux traits tirés, l'air fatigué. Elle sourit peu même si elle porte sur son fils un regard empreint de tendresse. «J'ai fait la paix avec elle, mais j'ai attendu au tout dernier moment de sa vie pour le faire. Il faut dire que j'ai entretenu avec elle un sentiment très paradoxal. Il y avait un mélange d'amour et de haine entre elle et moi», confie-t-il.

L'amour filial, estime-t-il, ça va de soi. On aime sa mère parce qu'elle nous a donné la vie, nous protège et nous aime. Mais cette mère-là possède une part d'ombre. «Elle a été négligente dans ses devoirs et ses responsabilités. Elle n'a pas pris soin de moi, de mon frère et de mes sœurs comme elle aurait dû le faire. Je lui en ai longtemps voulu de nous avoir abandonnés.»

Au début des années 1970, sa mère vient voir ses enfants une fois par mois. Mais la route est longue à partir de Montréal; ses visites se font de plus en plus espacées. Elle apporte des cadeaux à chaque visite, que les enfants découvrent avec bonheur. Mais ses absences sont pesantes dans leur cœur.

Quand Stanley repense à elle, des images de tendresse dominent. Il se voit, étendu à ses côtés, la tête déposée sur les genoux. Elle lui caresse les cheveux. «Elle me dit qu'elle m'aime et qu'elle m'aimera toujours.» Elle semble croire qu'il ira à l'université lorsqu'il sera grand. Elle-même n'a complété qu'un cours professionnel en comptabilité, mais elle a toute confiance en son fils.

Sur le plan personnel, sa mère a eu une vie difficile, marquée par la violence des hommes qui l'entouraient. Elle a subi des abus physiques et sexuels dans sa jeunesse. Certains se sont déroulés pendant ses années aux pensionnats de Sept-Îles et de Pointe-Bleue. Même pendant qu'elle étudiait au collège de Notre-Dame-de-la-Pocatière, où elle a appris le métier de secrétaire, la vie était rude.

Elle lui intime de faire attention aux femmes de sa vie. «Je ne comprenais pas ce qu'elle voulait dire à l'époque. Rétroactivement, je crois qu'elle me révélait ses propres frayeurs. Elle ne voulait pas que son fils soit un batteur de femmes.»

Les lourdeurs de son passé ont-elles contribué au fait que l'alcool devienne une automédication pour cette mère de quatre enfants qui tente d'oublier ses malheurs? C'est ce que son fils croit. «Je l'ai vue changer. Je me souviens d'une femme positive, enjouée et de bonne humeur lorsqu'elle était jeune. En vieillissant, elle est devenue aigrie, impatiente, cynique.» Et alcoolique. Elle buvait pour oublier, croit-il. «Enfant, je ne la voyais pas boire, mais je le devinais à cause de son haleine. En grandissant, elle ne se cachait même plus. Elle s'affichait carrément avec sa bouteille.»

À cause de ses origines, Stanley se sent différent et cette différence est attribuable aux choix de sa mère: «Je lui en voulais pour avoir fait de moi un être différent des autres. Je lui en voulais pour son alcoolisme.»

En 1995, elle souffre de cirrhose et est atteinte d'une pneumonie. Cet état la plonge dans un profond coma. «Par miracle, elle s'est réveillée de son coma à Pâques et j'ai pu lui parler durant les quelques instants de lucidité dont elle pouvait jouir. J'en ai profité pour me faire pardonner.»

Pourquoi implorer le pardon? Parce que le jeune homme lui a dit des choses terribles avant sa crise. «Je lui ai dit qu'elle devrait mourir. C'est terrible de souhaiter la mort de sa mère et de constater que ça se réalise! J'ai eu l'impression que je la précipitais dans son agonie, que c'était de ma faute…»

En réalité, c'est un concours de circonstances qui pavera la voie à cette affirmation. Quelques mois plus tôt, la *kukum* Marianna tombe malade, et là où son médecin de famille ne voit qu'une vilaine grippe, Stanley craint le pire. Il la fait examiner en oncologie. Le diagnostic tombe: cancer du poumon.

Juste avant qu'elle parte subir ses traitements de radiothérapie dans un hôpital spécialisé de Québec, Stanley veut que Clarisse l'accompagne. «Ma mère refuse. C'est trop pour elle. À mes yeux, ce refus est inacceptable. Encore une fois, elle néglige d'assumer ses responsabilités familiales. Je lui dis qu'elle n'est qu'une sans-cœur. Je vais plus loin et ajoute que c'est elle qui aurait dû avoir ce cancer, pas ma grand-mère. Je souhaite carrément sa mort. Ma mère morte? Bon débarras!»

Quelques jours après ces invectives, la mère perd conscience à la suite de complications respiratoires. Quand Stanley la rencontre, il se sent coupable pour cette terrible ironie du sort. Heureusement, la mort ne l'a pas emportée. Elle est consciente, mais sous respirateur. Un tube lui obstrue la gorge et l'empêche de parler. Mais elle peut cligner des yeux et cela suffit pour établir un dialogue: un clignotement signifie oui; deux, non. Elle peut bouger la tête. «Je lui ai dit: maman, je te demande pardon pour ce que je t'ai dit. C'étaient des mots qui dépassaient ma pensée. C'étaient des choses atroces.» Elle répond oui. Elle est en pleurs et son fils aussi. Il affirme «Je t'aime depuis le premier jour et je t'aimerai jusqu'à ma mort.»

Trois jours plus tard, elle s'apprête à rendre l'âme. Stanley est alors médecin à l'Hôpital de Baie-Comeau et il obtient l'autorisation de suivre personnellement les dernières tentatives médicales pour la sauver.

En fait, l'équipe médicale doit la transférer d'urgence en salle d'opération. La cirrhose s'est compensée dans l'abdomen par la sécrétion d'un liquide qui se répand dans son ventre. Ses reins ne fonctionnent plus et son cœur parvient mal à pomper le sang. Elle souffre de ce qu'on appelle un syndrome hépato-rénal. «Mon collègue tente d'introduire un cathéter entre le ventre et le cou: c'est le shunt péritano-jugulaire. Aussi bien dire une manœuvre du désespoir. J'assiste à cette intervention. Une caméra oriente le cathéter, ce qui nous permet d'apercevoir le foie de ma mère. Ce que nous apercevons est terrible. Elle a un foie ravagé par la cirrhose. Son organe est semblable à ceux qu'on étudie dans nos livres de médecine.»

Le résident est bouleversé par ce qu'il vient de vivre. Il savait sa mère atteinte de cirrhose, mais ignorait l'état de son foie. Sa maladie l'a rongée de l'intérieur. «Je suis sous le choc. Je savais qu'elle était atteinte, mais pas à ce point. Quand on a un foie dans cet état, c'est qu'on ne s'alimente presque plus; on ne fait que boire. Elle essayait d'oublier les traumatismes de son enfance. Aujourd'hui, je la comprends. Je ne lui en veux pas. Aurais-je pu l'aider? Je ne sais pas. Ce ne sont pas les enfants qui peuvent aider leurs parents. Ce n'est pas leur rôle.»

Stanley Vollant lors de la remise de son diplôme d'études secondaires.

Mon école

Caché dans des livres

Dans la maison de Pessamit se trouvent l'immense *Encyclopédie Grolier* ainsi que deux collections semblables d'ouvrages intitulées *Pays et Nations* et *Grands Destins*. Ces encyclopédies volumineuses – le *Grolier* compte 10 volumes – ont été achetées à des vendeurs itinérants de passage dans le village. Elles ont occupé une grande place dans l'éducation du jeune homme... bien avant qu'il ne sache lire. Il s'en sert d'abord pour construire des abris dans le salon. «Ce n'était pas pour elle que ma mère avait acheté ces livres, mais pour nous; elle voulait que ses enfants réussissent à l'école. En tout cas, on s'amusait beaucoup avec ces éditions. On pouvait s'en faire des maisons et s'y cacher.»

Ce n'est que beaucoup plus tard, lorsque Stanley maîtrisera la langue française, que ces livres serviront à leur premier usage. Il retrouvera l'*Encyclopédie Grolier* qu'il feuillettera compulsivement. De *Pays et Nations*, il découvrira les civilisations mésopotamiennes et byzantines, berceaux de la culture européenne. *Les Grands Destins* le feront rêver. «Je ne voulais pas devenir Livingston, Churchill, Gandhi ou John F. Kennedy, mais ces grands personnages m'inspiraient. Je voulais moi aussi connaître un grand destin. Grâce à *Pays et Nations*, je découvrais avec fascination de nouvelles civilisations. Peut-être que ces livres ont contribué à ma curiosité intellectuelle.»

Vers huit ans, Stanley connaît suffisamment la vie des hommes et femmes de science pour se forger une opinion sur son avenir professionnel. Il désire devenir... archéologue.

«Je voulais être comme Indiana Jones[7]. Je rêvais de découvrir des trésors dans des communautés perdues et les exposer à la face du monde.»

Depuis sa naissance jusqu'à son entrée en maternelle, en 1970, Stanley n'a connu que la vie en forêt et dans la petite maison de la rue Ashimi. Il ne parle qu'une seule langue : l'innu. Le français, il l'a entendu ici et là, mais ne le parle guère. Quant à l'anglais, c'est une langue étrangère sur la Côte-Nord québécoise. Tout ça changera dès son premier jour d'école. «Du jour au lendemain, je suis plongé dans une nouvelle langue. De plus, je trouve difficile de quitter la forêt pour consacrer les plus belles heures de ma journée dans une salle de classe où on ne voit le ciel que par la fenêtre. Je perdais d'un coup tous mes repères.»

Stanley Vollant était-il dyslexique? Bien qu'il n'ait pas été formellement diagnostiqué par un expert, Stanley souffre dès son plus jeune âge d'un défaut d'élocution. Le problème est encore plus aigu lorsqu'il entre dans le système scolaire francophone. Aussi, les premières années sont ardues. «En première année, j'ai beaucoup de difficulté dans mes cours de langue. Mon vocabulaire en français est limité. Je le comprends mieux que je parle. Je maîtrise beaucoup mieux l'innu, mais à ce moment-là, l'école ne se donne pas dans notre langue maternelle.»

Un événement significatif aura lieu durant sa classe de maternelle : la visite d'un chef huron. «Je m'en souviens très clairement même si ça s'est passé il y a 40 ans. Arrive devant nous un gros monsieur de six pieds quatre pouces, 240 livres, avec ses longs cheveux noirs, attachés derrière la tête. Il porte un manteau en franges de cuir. Il s'exprime

---

7. Indiana Jones est un personnage fictif créé par le cinéaste George Lucas et mis en scène par Steven Spielberg en 1981. Archéologue et professeur d'université, il quitte la salle de classe pour le terrain où l'attendent des aventures palpitantes. Bien qu'il s'agisse d'un héros purement hollywoodien, Indiana puise l'essence de ses quêtes dans sa riche culture des sociétés disparues. Pas étonnant qu'il ait plu à Stanley Vollant.

avec une voix grave au milieu de la quinzaine d'enfants assis autour de lui. Il nous dit : « Les jeunes, c'est important d'aller à l'école, de finir votre secondaire et d'aller au cégep et même à l'université. Vous reviendrez dans votre communauté aider vos pères, vos mères, vos frères, vos sœurs. »

Il s'agit de Max Gros-Louis, chef de la communauté huronne-wendate. Sa sœur, Jacqueline Gros-Louis, est enseignante en maternelle à Pessamit et c'est elle qui l'a invité. « Je me souviens de sa prestance et de son charisme. Son intervention avait été de courte durée – peut-être 10 ou 15 minutes. Mais je peux dire que son message s'est accroché quelque part dans mon cerveau. Ce n'est pas tombé dans l'oreille d'un sourd. »

Le goût des études ne peut venir de sa famille d'origine. « Mon grand-père est allé à l'école une demi-journée dans sa vie. Ma grand-mère, beaucoup plus éduquée, y a passé une semaine », aime à répéter Stanley en riant. Ils ne savent ni lire ni écrire. Mais ces gens valorisent l'éducation.

Les lunettes du succès

Une fois absorbé le choc initial, les premières années au primaire se déroulent sans pépins. L'apprentissage de la langue seconde progresse rapidement. Stanley réussit bien, assimile facilement les apprentissages et trouve du plaisir à apprendre. « J'étais bon en mathématique et en géographie. En éducation physique, je n'étais pas mal non plus. Le français n'était pas mon fort, mais j'ai terminé mon primaire sans problème. »

Le plaisir ira croissant. Dans une salle de classe, il ne trouve pas difficile de mémoriser les connaissances. Mais comme tout enfant, il est parfois tenté par la paresse. Lorsque l'envie de rester à la maison lui vient, sa grand-mère le menace de lui faire boire la mixture à base de testicules de castor qui pendent au sous-sol… Le remède est efficace avant même de l'administrer.

Au début du secondaire, de nouveaux obstacles se dressent devant lui. Comme il n'y a pas d'école secondaire dans sa communauté, il doit se déplacer hors de son village. Il se rend dans la région de Québec, où une de ses tantes, Anne-Marie Vollant, secrétaire de profession, l'inscrit à l'Institut Saint-Louis, de Loretteville. La sœur de sa mère s'occupait déjà de Stanley comme de son propre fils – elle n'avait pas encore d'enfants. Dès l'âge de cinq ans, Stanley rend visite régulièrement à sa tante pour quelques jours dans la vieille capitale, prenant l'autobus Voyageur depuis Baie-Comeau. Mais Anne-Marie et son mari Luc Lainé ne peuvent accueillir le collégien, car leur appartement est trop petit et en rénovation. La belle-mère de celle-ci, Georgette Lainé, peut l'héberger. C'est un nouveau déracinement pour lui : « Mme Lainé et son mari ont eu 12 enfants. La plupart sont partis de la maison et il y a une chambre pour moi. Je me souviens que je ne suis pas très content d'apprendre en arrivant que je vais habiter dans cette grande maison. Heureusement, je me lie d'amitié avec les enfants Lainé, Dave et Pascal. Dave est devenu mon meilleur ami. »

Pourtant, Stanley subit un sentiment d'exclusion, alors qu'il est le seul autochtone de Pessamit dans son école. À cette époque, les bagarres sont nombreuses entre les enfants – particulièrement entre Blancs et « sauvages » du village huron – et Stanley n'y échappe pas. Il prend l'habitude de s'asseoir au fond de la classe. On le surnomme le « cawish » et le « Chinois ». « J'étais le seul innu de l'école. Je parlais français avec un accent. Je ne m'habillais pas comme les autres. J'avais une couleur de peau différente. En plus, je n'étais pas très heureux d'être séparé de ma famille comme ça. J'essayais de revenir dans mon village le plus souvent possible pour retrouver mon grand-père et ma grand-mère, m'occuper de mon chien laissé là-bas. Mais forcément, je n'avais pas la possibilité d'y aller toutes les semaines. Ça contribuait certainement à ce sentiment d'exclusion.»

Les notes périclitent. Sa tante remarque que son jeune protégé a tendance à plisser les yeux lorsqu'on lui parle et elle soupçonne des problèmes de vision. Elle prend rendez-vous pour lui chez l'optométriste. L'examen révèle un problème d'astigmatisme et de myopie. «Avec mes nouvelles lunettes, les problèmes scolaires disparaîtront rapidement», croit-il.

Toutefois, les lunettes ne feront pas disparaître l'ostracisme dont il est victime, car les montures de piètre qualité sont les seules à sa portée – grâce à un programme de financement de Santé Canada. Le qualificatif de «pauvre» s'ajoute aux autres quolibets qui lui sont proférés.

Le racisme est quotidien. Des jeunes lui tendent des embuscades entre les cours. Chaque semaine, les batailleurs le rouent de coups, parfois jusqu'au sang. Les rixes se déroulent dans les corridors, près des vestiaires, à l'extérieur. Stanley se défend comme il peut, mais ses agresseurs se liguent contre lui. Heureusement, des Hurons s'attachent à l'élève innu. Les batailles cesseront. «Entouré de mes frères hurons qui avaient décidé de me protéger, je me suis senti en sécurité.»

À la Polyvalente de Loretteville, où il passera après la première secondaire, les «sauvages» n'ont pas meilleure réputation. «J'avais été témoin de propos très durs à l'endroit des autochtones, comme quoi nous n'étions que des bons à rien, incapables de réussir à l'école et sur le marché du travail. J'entendais les gens dire que les Indiens ne sont pas intelligents.»

Plutôt que de le démotiver, ces propos fouetteront sa résilience. «Je m'étais dit que j'allais leur prouver qu'ils se trompaient. On peut être aussi bons à l'école que n'importe qui. J'allais faire les efforts pour étudier plus que les autres et réussir mieux encore. Tout en faisant du sport le soir – hockey, crosse, football –, je leur montrerais que les autochtones pouvaient avoir du succès, à l'école et sur le marché du travail.»

L'esprit de compétition fera augmenter ses performances. «Entre enfants, on se lançait des défis et ça nous poussait à nous dépasser», relate-t-il. Les encyclopédies, qu'il avait parcourues dans son enfance, avaient aiguisé sa curiosité. «Je ne crois pas avoir des capacités intellectuelles hors du commun, mais mon milieu m'a aidé. J'étais dans un bon terreau pour me développer adéquatement.»

Stanley se souvient encore des chansons que son grand-père écoutait en 1977. Par exemple *Dust in the wind*, du groupe Kansas. «Je revois le petit garçon de 12 ans qui pleure dans le salon de mes grands-parents. Et j'ai envie de le prendre dans mes bras en lui disant : lâche pas ! Je ne pouvais même pas serrer de toutou dans mes bras ; nous n'avions pas les moyens de m'en offrir. Aujourd'hui, mes enfants ont des dizaines de toutous dans leur chambre à coucher.»

«Je serai ingénieur ! »

Au secondaire, le grand rêve de devenir archéologue disparaît. «Après mes premières années à la polyvalente, avec des lunettes pour mieux voir le tableau et un groupe d'amis pour me protéger contre les bagarreurs, j'ai commencé à vivre le moment présent et à véritablement apprécier la vie d'écolier. Sauf que je me suis rendu compte à ce moment-là que la carrière d'archéologue n'était pas pour moi. Elle était de moins en moins conforme à l'idée que je m'étais faite à partir des films d'Indiana Jones. Creuser dans des endroits perdus, déterrer des petits morceaux de casseroles et de pipes, cela n'évoquait rien de très excitant… Je voulais jouer un rôle utile, avoir un impact sur mon monde.»

C'était clair dès son entrée au secondaire qu'il irait à l'université. Dans quelle discipline? Ce n'était pas encore précis, mais le génie civil était sérieusement considéré. «J'avais vu les grands chantiers hydroélectriques de Manic-5, Outardes, Bersimis 1 et 2[8], grâce à un ami de cœur de ma mère, ingénieur, et j'avais observé les ponts construits un peu partout dans ma région. C'était quelque chose qui me plaisait bien. Apprendre à construire des ponts et des centrales électriques, pourquoi pas? Je serai ingénieur.»

La profession est prestigieuse et bien payée. Elle n'est pas obscurcie, à cette époque, par les scandales de corruption qui hanteront plus tard les grandes firmes; on ne parle pas non plus des impacts environnementaux des grands ouvrages. On voit plutôt dans cet âge d'or de l'ingénierie québécoise la fierté des bâtisseurs et la grandeur des réalisations humaines. La maîtrise de la nature par le genre humain a un visage.

L'université, ça se prépare, et Stanley le sait! Dès la troisième année du secondaire, il obtient de très bons résultats. Durant les deux dernières années, il dispute avec un ou deux écoliers le titre de meilleur élève de son école. «Je n'étudiais pas beaucoup entre les cours, mais ma grande force était ma concentration et ma mémoire. Je retenais sans difficulté l'essentiel des enseignements, ce qui m'assurait des bonnes notes… et me dégageait pour mes activités parascolaires. Le football est devenu ma passion de jeunesse.»

Receveur de passe pour l'équipe de football Louis-Joliette, de Québec, Stanley contribuera à des victoires importantes dans la ligue, ce qui mènera l'équipe jusqu'à un championnat régional. L'équipe perdra en finale contre la Beauce en 1981. Alors que Louis-Joliette marque un touché de sûreté (3 points) en début de partie, l'espoir fouette les troupes. Après tout, Louis-Joliette n'a pas connu la défaite de toute la

---

8. La centrale de Bersimis 2 a été mise en service en 1959, quelques années après Bersimis 1. Les deux centrales sont situées sur la rivière du même nom, qui s'écrit également Betsiamites. En innu, cela signifie «là où les lamproies se réunissent».

saison! Malheureusement, les réjouissances sont de courte durée puisque l'équipe de Québec s'écrase 56 à 3.

«Tout me plaisait dans le football: l'entraînement, la stratégie de jeu, le respect de l'adversaire, l'éthique, en plus de l'effort physique, qui me faisait du bien.» Et les coéquipiers aiment ce joueur tenace et dynamique qui démontre des qualités de leader. Il est nommé capitaine de son équipe durant deux des trois saisons où il porte le ballon. Au gala de fin d'année du collège, il obtient un prix Méritas pour sa détermination et son engagement sportif.

Ce sport exigeant en est encore, à ce moment, aux balbutiements chez les Québécois. Mais le footballeur de 15 ans a des lacunes en matière d'endurance et de vitesse, selon son entraîneur. Celui-ci suggère à Stanley d'améliorer ses performances en s'inscrivant à des épreuves d'athlétisme. Il fait simultanément la connaissance à Loretteville d'un homme qui court beaucoup. Phil Latulipe est un adepte de marathons et de demi-marathons. Les deux hommes échangent sur les bienfaits des épreuves d'endurance. À cette époque, la course à pied a le vent dans les voiles; c'est l'âge d'or du Marathon de Montréal qui attire jusqu'à 12 000 participants[9].

Il s'abonne à la salle de musculation et prend goût à la course à pied, dont le caractère minimaliste et méditatif lui convient particulièrement. Il s'inscrit à des compétitions de 100 mètres, 200 mètres, 400 mètres, 1 500 mètres, 3 000 mètres. «J'ai rapidement préféré les longues distances aux épreuves de sprint. J'aimais ce qui me permettait de mettre à l'épreuve mon endurance.»

Comme coureur, il connaît un succès grandissant, sans être un nouveau Émile Zatopek. Il remporte deux médailles d'argent (1 500 mètres et 3 000 mètres) lors d'un championnat

---

9. Le Marathon de Montréal connaîtra ensuite une perte de popularité pour disparaître en 1990. Il renaîtra en 2003. La participation record, en 2012, compte 24 000 coureurs dont 2764 ont terminé l'épreuve de 42,2 km.

régional en 1981. Il participe cette même année à un championnat provincial. Il s'inscrira à plusieurs courses de 10 kilomètres. La course sera une alliée précieuse lorsqu'il connaîtra des revers de fortune, plusieurs années plus tard. Pour l'instant, il prend plaisir à fouler le sol en espadrilles.

Il rappelle que plusieurs coureurs autochtones se sont illustrés au cours de l'histoire du Canada. Thomas Longboat, un Onondaga des Six-Nations de la Grande-Rivière (près de Brantford, en Ontario), a remporté le Marathon de Boston en 1907. Plus récemment, Jason Loutitt, un métis de la Colombie-Britannique, a remporté deux fois le Marathon de Calgary (en 2005 et 2011) et une fois l'ultramarathon d'Hawaï (une distance de 100 kilomètres en altitude), en 2012. Quant à l'Innu David Gill, originaire de Mashteuiatsh, il a été champion canadien du 1 500 mètres et du 3 000 mètres. Ce dernier est aujourd'hui entraîneur et conseiller en activité physique à la Commission de la santé et des services sociaux des Six-Nations de la Grande-Rivière du Québec et du Labrador.

Pas d'école buissonnière

Après avoir obtenu son diplôme d'études secondaires, Stanley veut prendre une année pour retourner en forêt sur le territoire de son grand-père. «Je voulais profiter de cette période de transition pour replonger une dernière fois dans la vie de mes ancêtres. J'étais certain de continuer mes études, mais je me disais que le passage entre le secondaire et le collégial était idéal pour une année sabbatique.»

Le projet semble se concrétiser, mais, en avril 1982, le grand-père Xavier subit un infarctus et se trouve confiné à résidence. Le médecin est formel: pas de longues marches en forêt pour lui au cours des mois suivants. Pour Stanley, le projet de retour à la forêt tombe à l'eau. Il s'inscrit en vitesse au Cégep de Limoilou dans un programme préparatoire à l'entrée à l'École polytechnique de Montréal.

En septembre 1982, alors que Stanley cohabite avec un Innu plus âgé que lui d'une décennie, Gaétan Picard, une mauvaise nouvelle l'attend. « C'était un dimanche matin. Le téléphone sonne et Gaétan répond. Une conversation s'ensuit. Après avoir raccroché, il m'annonce que mon grand-père est décédé. Ça a été un choc terrible pour moi. À cette annonce, mon monde s'est écroulé », relate le médecin avec émotion, trois décennies plus tard.

Le grand-père a succombé à un accident de la route, la nuit précédente. À la sortie d'un bar de Pessamit, un véhicule le happe et le projette sur plusieurs mètres. Le décès est immédiat.

Après avoir fait ses valises, Stanley se dirige vers Pessamit pour une dizaine de jours afin de vivre son deuil auprès de sa famille et de se recueillir sur le cercueil de son aïeul. « L'alcool a eu raison de mon grand-père. Il n'était pas à jeun ce soir-là. Pas plus que le chauffeur. Si l'un des deux avait été sobre, la collision aurait peut-être été évitée. »

Sur la tombe de Xavier Vollant, Stanley promet d'honorer sa mémoire. Il s'engage à perpétuer son prénom chez son fils si le destin lui en donne un. Il s'engage aussi à être à la hauteur des attentes de son père adoptif. « Je ne deviendrai peut-être pas avocat, mais je plaiderai nos droits », relate-t-il.

Lorsque son fils naît le 5 septembre 2005, il reçoit le prénom de Xavier.

Quant à l'autre promesse, elle prendra un peu plus de temps à se réaliser. Mais Stanley ne la perdra jamais de vue.

La prophétie de l'ivrogne

Le 25 juillet 1983, c'est l'anniversaire d'un ami, Guillaume, que Stanley célèbre avec des copains. En fin de soirée, on se déplace au bar du village. À la porte titube un homme d'âge moyen que tout le monde connaît sous le nom de Philippe, prononcé en innu, «P-lip». Il est plutôt en état d'ébriété avancé. Lorsqu'il aperçoit Stanley, il veut lui faire l'accolade et lui parler. Celui-ci cherche à l'éviter. «Je savais qu'il allait me postillonner au visage et me raconter sa vie, relate Stanley. Ce n'était pas dans mes plans. Je voulais me rendre au bar et continuer la fête avec mes amis.»

De guerre lasse, il lui accorde quelques instants. L'homme tient à le féliciter. «J'ai su la nouvelle que tu étais accepté en médecine.et je suis très fier de toi!», lance-t-il.

Stanley n'a jamais imaginé devenir médecin. C'est la dernière carrière envisageable, car il a peur du sang et entretient secrètement une phobie des cadavres... Il n'a donc pas complété la moindre demande d'inscription en ce sens. P-lip est dans l'erreur. «Mais je ne veux pas le contrarier. J'acquiesce pour qu'il me laisse tranquille. Bien oui, c'est ça. Merci mon vieux.»

L'ivrogne insiste. «Quand tu seras docteur, tu pourras soigner mes parents et mes grands-parents. Ils n'ont jamais rien compris de ce que disaient leurs médecins. Ça prend des docteurs indiens pour soigner les Indiens.»

Quand Stanley réussit enfin à se libérer de son admirateur, il est questionné par ses amis. Que voulait P-lip? «Il croyait que j'allais devenir médecin.» Tout le monde rit de bon cœur. Où pouvait-il être allé chercher une chose pareille?

Pourtant, les propos de l'ivrogne feront leur chemin. Le soir, puis la nuit venue, Stanley s'interroge sur cette perspective. Lui médecin? Pourquoi pas? Après tout, il a de bons résultats au cégep (il vient de terminer avec succès sa première année) et souhaite trouver une profession où il se sentira utile. Sa grand-mère était connue pour être guérisseuse; la médecine moderne serait un prolongement de cette vocation familiale. Un métier noble, salutaire, prestigieux. Et payant, bien sûr! Finie la pauvreté chez les Vollant!

La vision s'ancre et prend de l'ampleur avec les mois qui suivent. Une discussion avec deux frères qui songent à entrer en médecine fouettera encore davantage son ambition. Les jeunes hommes, fils d'un cardiologue de Québec, lui disent que seuls les meilleurs étudiants peuvent accéder aux rares postes disponibles dans les facultés de médecine. «Sans le vouloir, ils insinuaient que des gens comme moi n'y arriveraient jamais et que je devais me contenter du génie civil... J'avoue que ça a allumé une étincelle de plus.»

Pourtant, la route est longue de la coupe aux lèvres, car le programme d'études qu'il suit, au cégep, n'inclut pas les cours de biologie et de mathématiques, obligatoires pour entrer en médecine. Il modifie au dernier moment ses choix de cours et se lance dans un sprint d'études sans précédent. «Je me suis mis à travailler comme un damné pour obtenir les meilleures notes possible. J'étudiais jour et nuit, fins de semaine comprises. J'ai travaillé comme jamais dans ma vie afin de faire grimper mes notes. Un vrai rat de bibliothèque. Je me souviens que j'allais prendre un beigne et un café en fin de soirée pour me récompenser quand je tombais de sommeil.»

L'effort rapporte. Son dossier scolaire atteint des sommets. En 1984, il présente sa candidature à la Faculté de médecine de l'Université de Montréal. «J'accompagne ma demande d'une lettre dans laquelle j'explique mes motivations. Je veux devenir médecin pour pratiquer dans ma communauté, où il manque cruellement de cliniciens.»

Le choix de l'Université de Montréal n'est pas fortuit. L'École polytechnique, où on forme les ingénieurs, est à proximité. Si ses problèmes personnels rendent ses études intolérables, il n'aura qu'à traverser le chemin de Polytechnique et s'inscrire à l'école de génie…

Plusieurs semaines plus tard, aucune nouvelle de l'université. Stanley appelle le responsable des admissions. Mauvaise nouvelle : on n'a pas retenu sa candidature. Il figure au 22ᵉ rang sur la liste d'attente.

Une conversation avec le vice-doyen aux études lui donne un peu d'espoir. «Ta candidature est très intéressante, lui dit le Dʳ Pierre Rivest. Si tu nous fais parvenir une lettre d'appui du chef de ta communauté, nous reconsidérerons peut-être ton cas.»

Stanley se tourne alors vers le chef de Pessamit qui obtempère. Un représentant du Conseil Attikamek-Montagnais approuve aussi l'initiative.

Le Dʳ Rivest rappelle Stanley à la réception de ces lettres de recommandation pour lui confirmer son acceptation en vertu de son pouvoir discrétionnaire. «Il avait compris, je crois, l'importance de la formation de médecins autochtones. Je lui en serai à jamais reconnaissant», affirme Stanley.

Cette cause, il la fera sienne tout au long de sa carrière, plaidant pour l'entrée dans la profession de gens qui, à défaut d'avoir le meilleur dossier scolaire, abordent leur carrière avec des notions d'entraide et d'ouverture interculturelle. «Un bon médecin, c'est non seulement quelqu'un qui a assimilé d'innombrables connaissances et qui mène des recherches dans sa discipline. C'est aussi un être humain capable de ressentir de l'empathie. Former des médecins autochtones, c'est stimuler un meilleur rapport avec les membres des Premières Nations. C'est aussi leur insuffler le goût d'être en santé. C'est une stratégie gagnant-gagnant!»

À la réception de la lettre d'acceptation, c'est la fête à Pessamit. La mère de Stanley est aux anges. «J'aurais tant voulu que mon grand-père soit là!»

L'appui de la communauté innue de Pessamit ne s'arrêtera pas là puisque le conseil du village s'engage à payer les frais scolaires du jeune homme admis en médecine. Durant toute la durée de ses études, les Innus seront derrière lui non seulement par la pensée, mais avec un soutien matériel.

Stanley est peut-être entré par la petite porte de l'université, mais il se fait le serment qu'il ressortira par la grande.

« Il n'y arrivera jamais ! »

L'euphorie passée, l'étudiant doit se raisonner. «Dans quoi me suis-je embarqué là?», se dit-il au moment de préparer son entrée. Il affirme entamer ses études universitaires «à reculons».

Ce sera pire que prévu.

Comment peut-on avoir peur du sang quand on a vu si souvent couler celui des animaux à la chasse et lorsqu'on a assisté au dépeçage du gibier? «C'est le sang humain qui m'inspirait le dégoût. Cette peur était incontrôlable. Elle me venait de ma grand-mère», précise-t-il.

Jusqu'à sa mort, Marianna avait souffert d'une sérieuse hématophobie. À la vue du sang, elle perdait parfois connaissance et croyait elle-même trépasser. Un souvenir d'enfance en témoigne. À la suite d'un accident de vélo, à l'âge de neuf ans, Stanley s'était blessé au coude et était entré en pleurant dans la maison. Il saignait abondamment et sa grand-mère, plutôt que de le rassurer, était allée se cacher dans un garde-robe en hurlant: «Xavier, viens chercher ton fils, il va mourir.»

À cette phobie s'ajoute chez Stanley une peur irrationnelle de voir les cadavres reprendre vie. Cette crainte lui est venue d'histoires racontées ici et là, de légendes amérindiennes et de films d'épouvante qui sont restés marqués dans son esprit. «J'avais peut-être l'imagination un peu plus fertile que les gens de mon âge, je ne sais pas. Mais cette phobie était très intense. Au point où j'évitais de marcher dans les cimetières, craignant que les morts se lèvent. Je n'y allais jamais seul. Et j'en parlais peu. C'était mon secret.»

Le processus d'accès à la faculté de médecine s'est donc fait en réfrénant ces phobies et en les taisant. Pour y faire face, une pensée magique s'est insinuée dans sa tête : avec un peu de chance, peut-être sera-t-il possible de suivre un programme sans voir de sang. «Après tout, certaines spécialités gardent le médecin loin des plaies ouvertes, explique-t-il. La psychiatrie, par exemple.»

Pour éviter de laisser ses craintes l'envahir, il ne prend pas le temps d'examiner le curriculum du programme d'études : quels cours sont au programme du premier jour, par exemple. Advienne que pourra !

Au pire, son «plan B» est prêt : il passera à Polytechnique si les portes de la médecine se referment.

Ses souvenirs du premier jour de médecine sont demeurés très précis. Il habite alors en résidence chez le père adoptif de sa sœur, à Montréal-Nord. Debout à 5 h 30, il mange en vitesse, enfile une veste et emprunte l'autobus jusqu'à la station de métro Henri-Bourassa. De là, il file jusqu'à Laurier. Il entre dans l'autobus numéro 51 – la station de métro Université-de-Montréal, sur la ligne Snowdon-Jean-Talon, n'est pas encore construite. Il monte à pied la colline vers le pavillon principal sous la tour dessinée par l'architecte Ernest Cormier.

Le programme ce matin-là n'offre pas de quoi paniquer : génétique, biochimie, histologie, épidémiologie. «Rien de dégueulasse», résume-t-il en souriant. Tout se passe bien jusqu'en après-midi, alors qu'il faut affronter le premier cours d'anatomie. Soulagement : aucun cadavre en vue. Que des dessins affichés au tableau. Ouf ! On voit des os, des tendons, des muscles sur des panneaux.

Ça se corse à la fin du cours lorsque le Dr Jean Déziel, chirurgien et professeur d'anatomie, annonce le programme du lendemain : dissection de la main. D'ici là, les étudiants doivent lire leur manuel sur une vingtaine de pages, mémoriser les structures anatomiques du membre et réviser leurs méthodes de dissection. Il confie à chaque étudiant un numéro associé à un cadavre. Il y aura quatre personnes par corps. Stanley a le numéro 42.

«J'ai trouvé le professeur assez peu délicat, côté psychologie. Il n'a rien dit sur l'approche de la mort ni sur la façon d'ouvrir un cadavre. Je me sentais bien seul. Tout le monde dans la classe avait l'air *cool*. Aucun commentaire.»

L'appréhension de la dissection le hante. «Je n'en ai pas dormi de la nuit.»

Au matin, il surmonte sa crainte et se rend à la faculté. Ce serait trop bête de renoncer à la médecine dès le second jour, après tous les efforts déployés. Il doit affronter l'inévitable !

Encore une fois, l'avant-midi se déroule sans problème. Cours magistraux, images et tableaux. Vient le cours du Dr Déziel. À la salle de dissection, dans l'aile U, Stanley avance parmi une quarantaine de corps disposés sur des civières. «Il fait froid. Ça sent le formol. Les étudiants commencent à soulever le drap blanc qui recouvre les cadavres.»

Il se sent défaillir. L'imagination s'en mêle. Il craint de voir les corps se lever comme des zombies et le prendre en chasse. Tentant de maîtriser ses élans, il se dirige vers le corps qu'on lui a destiné : «Numéro 42.» Il soulève à son tour le drap, touche un orteil blanchâtre, caoutchouteux. Une nausée l'envahit, il vacille et perd connaissance. En tombant à la renverse, sa tête heurte au passage un coin de bureau.

C'est le *black-out*, à part les cris d'horreur qui parviennent à ses oreilles. Au sol, son corps est secoué de convulsions.

Tranquillement, la noirceur se dissipe, remplacée par un brouillard. On lui passe une serviette humide sur le front. Reprenant ses esprits, il saisit des bribes de conversation : « Cet étudiant-là n'ira pas loin. » « Perdre connaissance avant de commencer sa dissection… c'est mal parti pour lui. » « Il n'y arrivera jamais ! »

On l'invite à quitter la salle.

Il refuse. « J'ai tenu à rester. J'ai mis mes phobies de côté, pris de grandes respirations et procédé à la dissection de la main. Ça s'est passé sans problème. Je n'étais pas très en forme, mais je n'ai pas subi de nouveaux malaises. Ni ce jour-là ni le jour d'après. Ni plus jamais. »

Pour le futur médecin, cette première confrontation avec une vieille phobie s'avère pleine d'enseignements. « Je n'ai jamais eu peur des cadavres par la suite. J'ignore ce qui s'est passé. Peut-être que le choc sur la tête m'a replacé les idées. »

En anatomie, il s'illustrera en devenant l'un des meilleurs élèves de la classe. Un succès qu'il attribue à sa connaissance du gibier. « Un ours et un être humain, ça se ressemble plus qu'on pense. La structure osseuse, les systèmes respiratoire et circulatoire ainsi que la plupart des organes sont les mêmes. Je ne connaissais pas les organes par leurs noms, mais j'étais familier avec leurs formes, leurs couleurs et certains de leurs usages. J'avais soif de connaître et j'étais servi. »

Il sera tellement débarrassé de sa phobie que, tout juste quelques semaines après son évanouissement, il sera le premier à se porter volontaire pour scier en deux le crâne d'un cadavre pour étudier les structures internes, une opération que plusieurs étudiants trouvaient rébarbative, le trait de scie passant au milieu du nez et entre les deux orbites de la calotte crânienne jusqu'au maxillaire inférieur.

Il déplore aujourd'hui l'abolition de la dissection sur des cadavres humains dans un bon nombre de facultés de médecine, dont celle de l'Université de Montréal. Le coût et les problèmes éthiques liés à la manipulation des corps ont en effet amené les autorités à préférer les mannequins en polymère et les modèles virtuels en trois dimensions pour l'apprentissage de l'anatomie. Pour plusieurs spécialistes (dont feu le Dr Déziel), la formation du futur médecin était plus complète à l'époque de la dissection et ils ne cachaient pas leur nostalgie du bon vieux temps.

Les cadavres ne saignent pas !

À l'issue du cours d'anatomie, une partie de l'initiation à la médecine est complétée pour Stanley. Reste intacte sa peur du sang. « Jusque-là, je me dis : heureusement, un cadavre ne saigne pas. Je peux donc me réjouir d'avoir réglé cette question-là. Mais ma véritable confrontation avec le sang humain n'a pas eu lieu. J'entretiens discrètement l'espoir de compléter ma formation sans jamais voir de sang… »

La confrontation a lieu au mois de mai suivant, au département de chirurgie de l'Hôpital d'Alma au Lac-Saint-Jean, à la fin d'un stage. Stanley loge durant un mois chez la tante d'une de ses anciennes amies de cœur, Odile Bergeron, avec qui il est demeuré lié d'amitié. L'apprenti médecin espère que le premier cours se déroulera dans un secteur pas trop sanguinolent. Pas de chance. Le professeur de chirurgie fixe rendez-vous aux étudiants dans la salle d'opération de l'hôpital, où un patient anesthésié sera alité, prêt à subir une intervention chirurgicale. « Oh ! My God ! », pense-t-il en imaginant le scalpel glisser sur la peau d'un abdomen. C'en est trop. Pour chasser les sueurs froides qui l'envahissent, il saute sur son vélo et fonce. « Je fais trois ou quatre tours de l'hôpital à toute vitesse pour me changer les idées. Au terme de cette course, je décide d'affronter la situation. Encore une fois, je repousse l'idée de tout abandonner. Ce serait trop bête. »

Le formateur montre d'abord aux étudiants comment enfiler la combinaison verte et se brosser convenablement les mains. Après ces préliminaires, on passe à la «salle d'op». Au programme: une colonoscopie ouverte – la laparoscopie n'existe pas à cette époque – qui s'entame par une grande ouverture de l'abdomen. «J'aperçois le sang jaillir, mélangé avec un liquide jaunâtre et visqueux, le gras, puis je vois distinctement le muscle. C'en est trop. Je perds connaissance.»

Ici, les infirmières sont plus habituées à voir des étudiants défaillir et Stanley est attrapé avant même de toucher le sol. Il est dirigé vers un banc et retrouve rapidement ses esprits. Encore là, le professeur lui propose de sortir pour reprendre ses couleurs. Il refuse. Il tient à tenir jusqu'à la fin de l'opération. «Jamais, à partir de ce moment-là, je n'ai eu peur du sang de nouveau», explique-t-il.

Lorsqu'il rencontre les jeunes dans des classes, Stanley Vollant relate volontiers ces épisodes. «Les seuls obstacles qu'on rencontre sur notre chemin, ce sont ceux qu'on s'impose soi-même. Ces barrières sont surtout dans notre tête. Elles sont plus fragiles qu'on pense. Il faut les affronter en abolissant nos peurs.»

De sa première année de médecine, il garde de bons souvenirs. Ses amis Patrice, François et Denis forment avec lui une joyeuse confrérie. Sur le plan académique, le défi est relevé, mais demeure à sa mesure. Seule ombre au tableau: l'ignorance des gens qui l'entourent sur les us et coutumes des Premières Nations. Ils confondent «Innus» et «Inuits» et pensent que les compatriotes de Stanley habitent encore dans des tipis et wigwams.

Seul étudiant autochtone de sa promotion, il consacre beaucoup de temps à démystifier les indigènes. Stanley est conscient d'être une curiosité pour eux, une partie du folklore. «Plusieurs n'avaient jamais vu d'Indiens et en avaient un dans leur salle de classe! Ils auraient voulu que j'aie des plumes sur la tête.»

Pour s'amuser un peu, il décide d'en faire marcher quelques-uns. «Je raconte que, l'été venu, je quitte mon igloo et je traverse la banquise en traîneau à chiens. Plusieurs semaines de marche sont nécessaires pour que j'arrive aux premières maisons. On me regarde bouche bée. Peut-être que des gens croient ces histoires encore aujourd'hui.»

Aux vrais amis, il n'hésite pas à parler de ses origines et de la vie présente. Oui, les Indiens habitent dans des tentes lorsqu'ils vont en forêt (comme tous les campeurs), mais ils logent dans des maisons durant les 12 mois de l'année. Des maisons chauffées, électrifiées et aujourd'hui équipées d'un lien Internet sans fil. «Ça m'a toujours étonné de voir à quel point les mythes ont la vie dure. On dirait que les gens veulent croire aux vieilles histoires.»

La queue-de-cheval qui lui descend le long du dos lui donne un look racé et les étudiantes, parfois, s'amusent à lui confectionner des tresses entre deux cours. Sur un coup de tête, il passe au rasoir en fin de deuxième année. «J'ai coupé mes cheveux. Je voulais passer inaperçu. Rentrer dans le moule du médecin. Je voulais adhérer à un certain conformisme lié à l'exercice de la profession.»

Même si certains propos entendus ici et là peuvent lui paraître désobligeants – il attribue cela à une certaine ignorance de la réalité des Premières Nations – jamais Stanley n'aura souffert de racisme durant ses années d'études. La crise d'Oka, en 1990, lui lancera au visage qu'il existe un clivage entre la majorité francophone et les Indiens. Mais il sera à ce moment-là un médecin en exercice.

L'esprit chirurgical

Il faut plus de dix ans pour acquérir le droit de pratiquer la médecine au Québec. La première étape, de deux à trois ans, est consacrée à l'enseignement théorique de la médecine, et la deuxième à des stages. Dans les universités québécoises, c'est ce qu'on appelle «externat». Le futur docteur doit ensuite compléter une résidence en milieu hospitalier, soit en médecine générale (deux à quatre ans), soit en médecine spécialisée (quatre ans ou plus). Ce n'est qu'après avoir complété la résidence que le médecin peut pratiquer son métier.

En stage d'externat, Stanley est donc invité à choisir une spécialité. Il est tenté par la médecine de famille, car il a l'occasion de traiter des patients à Pessamit comme apprenti médecin. L'omnipraticien est appelé à intervenir dans tous les domaines de la santé humaine, ce qui constitue un atout lorsqu'on est seul médecin dans une communauté de plusieurs milliers de personnes.

Mais les résultats d'une enquête épidémiologique de Santé Canada auprès des résidents de Pessamit, à laquelle il a pris part durant ses études, lui donnent le vertige. Il a voulu connaître les attentes des Innus face à un médecin issu de leur village et les réponses sont éloquentes. On attend de ce médecin de famille une disponibilité totale : 24 heures par jour, sept jours par semaine, 365 jours par an.

S'il choisit cette voie, aucun doute, Stanley sera «condamné» à servir jour et nuit. Cette perspective l'effraie. «Jamais je ne serai capable de répondre à la demande. Je vais être brûlé en un an. Et je n'aurai plus de vie...»

Il reconnaît aujourd'hui que cet argumentaire n'est pas très noble. Au fond, choisir la médecine, c'est choisir de se consacrer aux soins de ses semblables, et on sait d'avance que les temps libres seront rares. Mais à ce moment-là, Stanley a du succès à l'université; il a de bons amis et il aime cette vie. De plus, il se sent capable de continuer à étudier. Il est tenté par une spécialité même s'il en connaît le prix : cinq ans de plus aux études.

C'est en juillet 1988 que se déterminera son choix de carrière. Au terme de ses stages en médecine, en gynécologie, en psychiatrie et en pédiatrie, il aborde le dernier droit à l'Hôtel-Dieu de Montréal : la chirurgie. C'est l'époque du redéploiement des hôpitaux affiliés au Centre hospitalier de l'Université de Montréal et on refuse au pavillon de la rue Saint-Urbain la demande d'accréditation en formation. Du jour au lendemain, les stagiaires acquièrent des responsabilités semblables à celles des patrons. « Comme si nous avions gradué tout d'un coup. Du jour au lendemain, nous avions de très grandes responsabilités professionnelles. On est passés en une journée à la tournée des patients, les prises de décision, l'évaluation des cas, la participation aux opérations, etc. »

Il est plongé en chirurgie cardiaque. Dès la deuxième journée de son stage, il doit pratiquer des insertions sous-claviculaires et... ouvrir un sternum. « Le Dr Ignacio Prieto me donne la scie et me dit : "vas-y, ouvre-le !" »

C'est un choc de voir ainsi le cœur battre dans le corps humain qu'on vient de percer et dont on a écarté la cage thoracique. Le médecin prélève une veine dans la jambe du patient, sous anesthésie générale. C'est le Dr Prieto qui procède au pontage, mais Stanley assure toute l'approche opératoire. La spécialité provoque un coup de foudre. Il adore l'aspect technique, le processus décisionnel. « En chirurgie, il faut prendre des décisions capitales rapidement et les appliquer. Pas le temps de s'égarer dans des réflexions interminables. »

Habile de ses mains, le chirurgien est appelé à faire porter le poids d'une vie dans quelques gestes. Stanley connaît la précision de ses doigts et sait d'instinct qu'il peut être à la hauteur. Il est un pragmatique et aime l'action. « Je suis un homme des bois. Quand il faut couper des sapins, niveler un terrain, on voit les conséquences concrètes de ses gestes. Je retrouve un peu ça dans la chirurgie. Ça peut paraître simpliste, mais c'est la réalité. Le mal est là et on le retire. Pour traiter une appendicite, le chirurgien enlève l'appendice. Une tumeur? On la localise et on la jette. En anglais, on dit: "to cut is to cure!"[10]»

Le fait d'avoir été plongé très tôt dans un cadre professionnel comportant des responsabilités a peut-être contribué à la naissance de cette passion qui l'habite toujours, deux décennies plus tard. «Par la suite, j'ai touché à la chirurgie thoracique, puis à la chirurgie neurologique et générale. Le Dr Marcel Rheault est resté longtemps un de mes modèles. Mais durant mon stage, j'ai eu deux autres mentors: le Dr Duranceau, un chirurgien thoracique, et le Dr Alphons Pomp, un chirurgien général parti, depuis, poursuivre sa carrière aux États-Unis.»

Tout baigne. Avec ces spécialistes habitués à vivre une pression intense, Stanley ne tarde pas à se voir dans la peau d'un chirurgien. «Je n'avais plus peur du sang, de toute évidence. Ouvrir une jambe, la suturer, ça ne me posait aucun problème. Même que j'adorais l'esprit chirurgical.»

Il décroche en octobre 1994 un diplôme de chirurgien. Un exploit historique, car nulle autre personne ayant grandi dans une réserve, au Québec, n'y est arrivée avant lui. Mais curieusement, il ne participe pas à la cérémonie de collation des grades et son diplôme lui est envoyé par la poste. «J'avais hâte de plonger dans l'action et je n'avais pas l'esprit à la célébration de cette étape. Pour moi, le diplôme n'était qu'un document administratif, sans grande importance.»

On dit en Afrique que ça prend un village pour élever un enfant. C'est vrai aussi pour les autochtones. Le Conseil de bande de Pessamit offre à ses ressortissants de payer une partie de leurs études. Pour Stanley, cela représentera cinq années de soutien. Le Conseil défraie les coûts de sa scolarité

---

10. «Couper, c'est guérir.»

pour toute la durée des études de premier cycle (jusqu'au grade de M.D.) en plus de lui fournir des frais de subsistance de 480$ par mois et 1000$ par an pour l'achat de livres.

Il ne s'agit pas d'un traitement de faveur pour le futur médecin, mais d'une politique universelle de soutien aux études universitaires pour les membres des Premières Nations, fréquente dans plusieurs communautés québécoises. Le faible coût des frais scolaires la rend possible; elle serait peut-être menacée par une hausse de ces frais, souligne Stanley Vollant. «C'est une politique d'incitation qui peut faire une différence, mais qui tarde à livrer ses fruits. Peu d'autochtones accèdent à l'université, comparé à l'ensemble des Québécois», commente-t-il. Pour être précis, Statistique Canada indique qu'en 2005, seulement 17% des autochtones âgés de 24 à 26 ans avaient fréquenté l'université, en comparaison avec un taux de 41% chez les allochtones du même âge[11].

Il n'a jamais eu le sentiment d'avoir fait un mauvais choix. «Mon seul regret se situe au niveau de ma motivation. J'avais choisi la médecine pour aider mes compatriotes, mais quand j'ai décidé de pousser vers la chirurgie, c'était pour ne pas être envahi par les attentes des patients autochtones. Il y a là une contradiction qui m'a beaucoup préoccupé. J'ai souvent eu des remords en pensant à cette motivation. Comme médecin de famille, j'aurais pu faire plus d'interventions qu'un simple chirurgien. J'aurais peut-être été plus utile.»

S'il avait une nouvelle vie professionnelle à choisir, il se destinerait probablement à la médecine générale, croit-il. Avec un plus grand éventail d'interventions possibles, il serait en mesure d'aider plus de gens, de façon plus personnalisée. Mais d'un autre côté, le Dr Vollant a toujours donné beaucoup de son temps aux communautés en manque de chirurgien. Pendant de nombreuses années, il a consacré

---

11. Réseau de l'Université du Québec, *Les établissements du réseau de l'Université du Québec pour toutes et tous, partout au Québec*, 7 décembre 2012, p. 9.

systématiquement une journée par semaine à sa communauté de Pessamit, en plus des journées de remplacement qu'il effectue régulièrement aux quatre coins du Québec. Dans ce sens, le chirurgien a largement payé sa dette envers les siens.

La communauté de Pessamit célébrera tout de même en grande pompe la graduation de son médecin, à la fin du mois de novembre 1994. Plus de 500 personnes assisteront à une soirée donnée en son honneur au gymnase de l'école. On le couvre de cadeaux, lui et sa femme, car on souligne en même temps leur mariage célébré à Montréal quelques semaines plus tôt. Le chef de la communauté est présent, de même que ceux des villages voisins et le grand chef des Premières Nations du Québec et du Labrador, Ghislain Picard. Sa mère et sa grand-mère expriment leur fierté. Marianna lui rend hommage en lui disant que jamais elle n'aurait cru qu'il irait si loin. Se remémorant les années difficiles, alors qu'il venait se reposer dans la maison natale, exténué, elle se rappelle qu'elle lui intimait de laisser tomber la médecine pour un boulot de boucher, un travail honnête et bien payé qui lui aurait permis d'avoir une vie normale.

Cérémonie en l'honneur de l'octroi à Stanley Vollant du titre de Personnalité modèle autochtone chez le gouverneur général du Canada, Roméo LeBlanc en 1996.

Stanley Vollant reçoit le prix Médecine, culture et société de l'Université de Montréal en 2012.

Ma carrière

« How to do a cesarian ? »

Nous sommes le mercredi 21 décembre 1994. Un jour spécial pour Stanley Vollant, car il commence aujourd'hui, officiellement, sa carrière de médecin spécialiste. Il vient d'être embauché au poste de « chirurgien général » à l'Hôpital de Baie-Comeau, sur la Côte-Nord du Québec, à moins de 55 kilomètres du village où il a grandi. Même si sa femme, étudiante en médecine, a dû rester à Montréal pour terminer sa formation, il a été décidé que leur couple s'installerait dans cette région et s'est trouvé une maison confortable, pas trop loin de l'hôpital.

Sa première journée doit s'étirer sur une vingtaine d'heures d'affilée, car il est « de garde » après son quart. Cette expression, connue de tous les médecins, signifie qu'il doit assurer une présence à tout moment en cas d'urgence. Sur un simple coup de fil, il saute dans sa voiture pour se rendre en salle d'opération, toutes affaires cessantes. Habituellement, les cas d'urgence sont assez rares dans les villes de petite taille, surtout à quelques jours de la célébration de la Nativité.

Le hasard veut que le jour de son entrée en fonction, les trois chirurgiens permanents de l'hôpital aient confirmé le début de leurs vacances de Noël. Ils seront donc absents durant la première semaine du Dr Vollant. Les médecins séniors ont tout juste le temps de faire connaissance avec le petit nouveau, âgé de 29 ans, avant de lui souhaiter bonne chance pour la journée qui commence.

S'il maîtrise son stress face à ses patients, Stanley est intérieurement préoccupé par ses nouvelles fonctions. Il mesure l'importance de chacun des actes portés et leurs conséquences sur la vie humaine. «Mon stress est à 400%, résume-t-il. Tant qu'on est étudiant, résident et externe en médecine, il y a toujours un patron au-dessus de nous pour assumer la responsabilité professionnelle si les choses tournent mal. Au premier jour de notre pratique, ça ne marche plus comme ça. Le patron, c'est nous!»

C'est avec un soupir de soulagement qu'il termine sa journée de travail, sans aucune anicroche. Il faut dire qu'il a l'habitude des soins aux patients, car les médecins, de nos jours, voient beaucoup de malades dans le cadre de leurs études. En soirée, il a droit à son véritable baptême du feu.

Alors qu'il se prépare pour aller dormir, son téléavertisseur se fait entendre et l'appel provient de l'hôpital. À l'autre bout du fil, un collègue omnipraticien réclame sa présence pour un cas de césarienne. L'accouchement s'annonçait sans histoire, mais des complications sont survenues, explique le médecin, et il faut procéder à l'intervention d'urgence en début de nuit. La vie du fœtus et celle de la mère sont en danger. Quand Stanley entend le nom de la patiente, son anxiété grimpe d'un cran, car il connaît la femme. C'est une ancienne voisine. Elle habitait à quelques maisons de chez lui, à Pessamit. «Ça le fait exprès, commente-t-il. Une césarienne, c'est peu courant à l'Hôpital de Baie-Comeau. De plus, je n'ai pas pratiqué de césarienne depuis au moins deux ans et demi, alors que j'étais résident à Montréal. Honnêtement, je ne me rappelle même plus comment faire…»

Avant que l'angoisse ne le gagne, il répond à son collègue qu'il peut compter sur lui. Il donne ses instructions pour préparer le lit et rassemble ses effets personnels. Au moment d'entrer dans son auto, un doute l'assaille. Il revient au trot dans la maison et sort de sa bibliothèque un livre d'obstétrique. Il consulte l'index. Il l'ouvre à la page intitulée «How to do a cesarian?» («Comment fait-on une césarienne?») et repasse les étapes. Sa puissante mémoire photographique lui permet d'enregistrer l'essentiel.

En route vers l'hôpital, il demeure nerveux. Et si les choses tournaient mal? «Il me vient l'idée folle de prendre la route de Montréal et de renoncer à tout ça, la chirurgie, la médecine, mon mariage, la Côte-Nord. Heureusement, je me raisonne et je poursuis le trajet.»

En salle d'opération, Stanley peut compter sur un personnel qualifié qui le rassure à chacun de ses gestes. «Il y a là un infirmier extrêmement compétent, Simon Ruelland, qui m'indique la voie à suivre comme s'il lisait dans mes pensées. Il place les instruments, stérilise les champs et oriente la patiente de façon à me simplifier la vie. J'ai l'impression qu'il y a une ligne pointillée là où je dois couper... Le soutien de ce professionnel de la santé, je ne l'ai jamais oublié.»

L'opération sera un succès et prendra au total 32 minutes. Une bonne performance compte tenu du fait que sa moyenne tournera autour de 22 minutes pour les césariennes ultérieures.

«Tu as l'air de mon petit-fils!»

La première année de pratique est éprouvante pour le Dr Vollant. La plupart des professionnels de la santé trouvent d'ailleurs cette initiation difficile. Heureusement, les collègues du département de chirurgie, comme le chirurgien général Richard Nadeau, lui apportent un soutien constant et le rassurent lorsqu'il est parcouru de doutes. Ses mentors l'aident et le soutiennent.

Le Dr Nadeau est à ses yeux le «dernier des chirurgiens généraux», en ce sens qu'il touche à tout: thoracique, orthopédique, urologie, plastie, gynécologie, etc. Aujourd'hui, une telle polyvalence serait impensable. Habile comme un singe, il s'intéresse à toutes les nouveautés dans sa discipline et voit arriver d'un bon œil ce nouveau collègue frais émoulu de l'université.

Stanley doit souvent composer avec des patients beaucoup plus âgés que lui qui se demandent si le jeunot qui s'apprête à leur ouvrir le ventre connaît son métier. «Tu as l'air de mon petit-fils!», lui disent des personnes âgées circonspectes. Il faut dire que sa peau glabre, ses mains douces et ses cheveux courts lui donnent un air de jeunesse. Même s'il a onze ans de plus que l'âge légal de la majorité, il se fait parfois demander ses cartes à l'entrée des bars.

Il répond aux dubitatifs qu'à la différence des vieux médecins, il est frais émoulu de l'université, il n'a donc rien oublié de ses connaissances. Au contraire, il est à l'avant-garde de la chirurgie moderne. De plus, ses gestes sont ceux d'une personne en pleine possession de ses moyens. Il leur étend le bras en disant: «Regardez, je n'ai aucun tremblement au bout des doigts. Ça compte lorsqu'on opère…»

Comme le Dr Nadeau, il dit la vérité à ses patients: l'opération qu'il s'apprête à faire peut être effectuée par des spécialistes dans des centres hospitaliers de pointe à Montréal ou à Québec. Le chirurgien général ne peut pas être spécialisé dans toutes les disciplines en même temps… «On leur dit la vérité et certains prennent la route des grands centres. Mais plusieurs, en particulier les personnes âgées, préfèrent être soignés à Baie-Comeau.»

Ses journées de travail sont très remplies et varient beaucoup. Il peut voir jusqu'à quarante patients dans une journée, et seulement un le lendemain. Quand on doit procéder à une coloproctectomie totale (ablation complète de côlon et du rectum), c'est la demi-journée qui y passe. L'opération consistant à extraire une partie du pancréas est encore plus complexe et demande de six à huit heures de travail en salle d'opération. Même chose pour l'œsophagectomie (ablation de l'œsophage), où le chirurgien tient littéralement la vie du patient au bout de ses doigts. Ainsi, il passe souvent d'une intervention mineure à une opération à cœur ouvert dans la même journée.

La pratique de la chirurgie est elle-même en mutation et Stanley Vollant est aux premières loges pour appliquer les nouvelles manœuvres. Dans les régions moins urbanisées du Québec, il devient même un des acteurs de ces changements. Les opérations abdominales, notamment, qui exigeaient jadis une anesthésie générale et des semaines de convalescence, et qui laissaient derrière elles des cicatrices de plusieurs centimètres, sont de plus en plus abandonnées au profit de la laparoscopie. De quoi s'agit-il? D'une intervention beaucoup moins invasive que la chirurgie conventionnelle et qui permet des résultats aussi efficaces, sinon meilleurs. Le laparoscope est un petit télescope fixé au bout d'un cathéter et orienté par le chirurgien. Il est introduit par une ouverture de quelques millimètres près de l'endroit à opérer. Le médecin glisse des instruments chirurgicaux par deux autres ouvertures similaires. «Assez rapidement, la laparoscopie s'est développée au point de m'occuper de une à deux journées par semaine. Je peux faire jusqu'à trois ou quatre opérations de vésicules biliaires.»

Aujourd'hui, le médecin aguerri en fait facilement deux fois plus. Mais en 1994, les laparoscopies sont inexistantes à Baie-Comeau. Il a fallu l'intervention énergique du jeune chirurgien pour convaincre la direction d'acquérir les appareils adéquats. Les collègues du département de chirurgie, des professionnels progressistes, l'appuient sans réserve.

Ces bons coups n'échappent pas à ses pairs. Rapidement, la réputation d'excellence clinique du Dr Vollant se répand dans le réseau et fait progresser sa carrière. En 1996, le bureau du gouverneur général du Canada, Roméo LeBlanc, lui réserve un honneur national. Sa candidature est retenue au terme d'un concours tenu d'un océan à l'autre : il figure parmi les neuf «personnalités modèles autochtones» dans différentes sphères d'activités les plus prometteuses au pays. La remise du prix, en présence de la reine d'Angleterre, Élisabeth II, lui permettra d'échanger quelques minutes avec la souveraine. «Une femme affable qui s'exprime dans un excellent français», relate-t-il. Des photos le montrent avec sa femme, souriant, en compagnie du gouverneur général et de son épouse à Rideau Hall, la résidence officielle du représentant de la reine.

En plus de l'honorer, ce titre lui ouvre les portes d'une quarantaine d'écoles en Ontario et au Québec afin de faire connaître son parcours et d'insuffler aux élèves le goût des études. Dans le cadre du programme mis en place par l'équipe protocolaire, il donnera des conférences en milieu scolaire pendant deux ans, au Québec, en Ontario et au Nouveau-Brunswick. «Ce prix m'a aidé, pas parce qu'il m'a rendu plus riche, mais parce qu'il m'a forcé à contrôler ma timidité. J'ai appris à m'exprimer devant un groupe. Jeune, j'étais terrorisé à cette idée.»

En effet, le bureau du gouverneur général offre une formation en communication aux lauréats pendant quatre jours. On veut que les personnalités modèles puissent améliorer leurs aptitudes à communiquer, de façon à mieux transmettre leurs messages. C'est un peu grâce à ces quatre jours que Stanley Vollant a pu apprendre plusieurs éléments clés de la communication publique. Plusieurs années après, il pense toujours à les mettre en pratique : souhaiter la bienvenue aux participants au début de la rencontre, se présenter brièvement, résumer l'objet de l'allocution, exprimer des idées claires, rappeler brièvement les objectifs de départ et conclure… Ces étapes peuvent paraître évidentes, mais ce ne sont pas tous les conférenciers qui arrivent à les appliquer de façon naturelle. «J'y repense encore très souvent lorsque je présente des conférences dans des écoles», dit-il.

Une plume d'aigle venue de l'Ouest

Parmi les personnalités qui jalonnent la carrière du chirurgien autochtone, le Dr Jack Armstrong occupe une place particulière. Professeur à l'Université du Manitoba et clinicien à l'Hôpital pour enfants de Winnipeg, il a présidé l'Association médicale du Canada en 1995 et en 1996. En plus de son travail de pédiatre, il s'est beaucoup consacré à bâtir un dialogue avec les Premières Nations. Jack Armstrong et son épouse ont adopté une enfant issue d'une communauté autochtone. En 1979, ils fondent le Projet d'Opikihiwawin, ayant pour objectif d'aider les familles comme la sienne. L'adoption en général n'est pas une mince affaire; l'adoption autochtone est particulièrement complexe. La mise en commun des ressources disponibles et d'un réseau d'échanges se faisait sentir, à Winnipeg et dans les régions avoisinantes.

Comme médecin pédiatre, le Dr Armstrong a été membre du Northern Medical Unit Flying, assurant les services cliniques dans des réserves du nord du Manitoba. Cet engagement, notamment, a valu au médecin une certaine notoriété auprès des conseils de bande et chez les aînés, qui lui ont donné une plume d'aigle en signe de reconnaissance. Il est mort en 2006 à l'âge de 66 ans.

C'est en 1996 que les deux hommes se lient d'amitié à l'occasion du congrès annuel de l'Association médicale du Québec (AMQ). Le Dr Armstrong est ravi de rencontrer un autochtone qui a accédé à la profession de chirurgien et il démontre beaucoup d'enthousiasme durant leur entretien. «Nous avons besoin de gens comme toi au Canada, car tu peux montrer le chemin aux jeunes», lui dit-il en substance.

Parallèlement à leur échange, le médecin de l'Ouest se promet de tout mettre en œuvre pour aider Stanley dans la suite de sa carrière. Il encourage celui-ci à s'engager dans son milieu professionnel.

L'occasion se présente bientôt lorsqu'un poste se libère au conseil d'administration de l'AMQ. Stanley reçoit aussi l'appui d'un autre médecin rencontré à cette époque, le Dr Louis-Joseph Roy. Sans peine, il est élu administrateur.

Deux ans plus tard, Stanley accédera au poste de secrétaire de l'AMQ, puis de trésorier, l'année suivante. En 2001, lorsque le président annonce qu'il ne sollicitera pas un nouveau mandat, les yeux se tournent vers le Dr Vollant. Le chirurgien n'hésite pas longtemps avant d'accepter. Stanley sera le premier président autochtone d'une association médicale en Amérique du Nord.

À sa grande surprise, on a invité Florent Vollant pour animer la soirée d'élection, à l'Hôtel Reine-Élizabeth de Montréal. Le musicien interprète quelques chansons, au grand plaisir de son homonyme, puis il prend son tambour et invite l'assistance à prendre part au *makushan*. La moitié de la salle comptant 300 convives entre dans la danse. «J'ai vu environ 150 médecins généralistes et spécialistes de tout le Québec et d'ailleurs danser cette danse en ligne traditionnelle inspirée de la chasse à la bernache. C'était vraiment un beau moment», relate-t-il.

Au cours d'une soirée dans un restaurant de Saint-Boniface, cette même année, le Dr Armstrong remet au jeune médecin innu une plume d'aigle lourde de signification. «Cette plume m'a été donnée par des autochtones et la voici entre tes mains, dit-il à son protégé. L'aigle est important dans la culture autochtone, car il vole haut et porte son regard perçant sur une vaste terre. En plus, il est, par nature, proche du Grand Manitou. À toi d'en faire bon usage.»

L'un des mandats qui occuperont le président sera celui de la lutte à un projet de loi porté par le ministre de la Santé et des Services sociaux du gouvernement du Québec, François Legault, voulant forcer l'ouverture des salles d'urgence en tout temps. Par son projet de loi 142, le ministre souhaite obliger les médecins du Québec à assurer une permanence dans un rayon défini autour de leur lieu de pratique, quitte à se rendre à un hôpital à l'autre bout de leur région si personne d'autre n'est disponible. Spécialistes et omnipraticiens sont outrés et envoient leur représentant sur les barricades. «Si elle avait été appliquée, cette mesure aurait privé les médecins du peu de temps libre qui leur restait. Elle était extrêmement contraignante pour les médecins qui craignaient de voir leur qualité de vie, et particulièrement leur vie de famille, grugées.»

L'autre dossier qui lui tient à cœur est la place des médecins issus de minorités culturelles dans les facultés de médecine. «Je voulais appliquer à une plus grande échelle le traitement de faveur que j'avais eu, moi, à mon entrée à l'Université de Montréal. Il me semblait essentiel de permettre la formation d'un plus grand nombre de médecins dont la culture allait avec son groupe d'appartenance.»

Les rencontres avec les élus se multiplient et le ministre de l'Éducation de l'époque, Rémy Trudel, en particulier, se montre ouvert à l'idée. Malheureusement, il s'écoulera bien des années avant que cette mesure devienne réalité. Et si, aujourd'hui, un certain nombre de postes sont réservés à des candidats autochtones, il arrive que ces postes demeurent vacants.

Au cours de l'automne 2001, Stanley Vollant est invité au Gala excellence *La Presse* au studio 42 de Radio-Canada, réunissant les 52 personnalités de la semaine de la Presse de l'année écoulée. Il sait qu'un jury doit honorer parmi celles-ci les personnalités de l'année dans diverses catégories.

Même s'il n'a préparé aucun discours, il doit monter sur scène pour prononcer une allocution. Comme l'événement a lieu quelques jours après la tragédie du 11 septembre 2001, il parle de l'importance du respect entre les peuples, de tolérance interculturelle, de paix.

Durant ses deux années à la présidence de l'AMQ, il est également le porte-parole francophone des médecins au sein de l'organisation sœur, qui regroupe l'ensemble des médecins canadiens, l'Association médicale du Canada. Les multiples réunions auxquelles il assistera, ainsi que les innombrables discussions de corridors, tant au Canada anglais qu'à Montréal, Québec et ailleurs, le plongeront dans le jeu politique où il faut agir dans les coulisses du pouvoir. «J'ai appris durant ces deux années comment faire pour que les choses bougent dans une démocratie. Pour bien faire avancer ses dossiers, il faut être prêt à parler le langage de la politique. Je m'en souviendrai si, un jour, je dois retourner sur ce terrain.»

L'appel académique

Durant les neuf années (de 1994 à 2003) durant lesquelles Stanley Vollant pratique la chirurgie générale à Baie-Comeau, une routine s'installe. Non seulement ne doute-t-il plus de ses compétences pour occuper ses fonctions de médecin spécialiste, mais il se surprend à penser, certains jours, qu'il pourrait en faire plus. Secrètement, il souhaite relever de nouveaux défis. Au tournant du millénaire, l'occasion se présente lorsqu'on lui propose un poste de médecin suppléant à l'Hôpital de Chicoutimi.

Il y découvre un aspect de son métier qui se révèle comme un plaisir qui ira croissant dans sa carrière : l'enseignement. «L'Hôpital de Chicoutimi est affilié à la Faculté de médecine de l'Université de Montréal, ce qui veut dire que des étudiants viennent y faire des stages. On y mène de multiples projets de recherche clinique. On y trouve donc tout ce dynamisme et ce brassage d'idées propres aux hôpitaux universitaires, un volet qui échappait à l'Hôpital de Baie-Comeau. Ça m'a tout de suite plu, d'autant que je retrouvais mon *alma mater.*»

C'est donc à Chicoutimi que Stanley entendra distinctement l'appel de la vocation universitaire. Une vocation qu'il ne voudra plus quitter. De surcroît, il se trouve en territoire innu, Chicoutimi étant un dérivé des mots «shek» et «temet», signifiant «là où la rivière est encore profonde».

À Chicoutimi, les contacts se créent facilement, et la personnalité du chirurgien autochtone rayonne. Dans ses temps libres, il parle avec tout le monde et se montre aussi attentif aux anecdotes du concierge de l'immeuble qu'à celles de son collègue spécialiste. Les infirmiers et infirmières aiment travailler avec cet homme chaleureux et charismatique. Encore aujourd'hui, longtemps après avoir quitté l'hôpital saguenéen, il est presque considéré comme un membre de l'équipe lorsqu'il est de passage. On lui demande à quel moment il reviendra, comme s'il était simplement parti en vacances.

À l'Hôpital de Chicoutimi, il sera le second chirurgien à pratiquer la laparoscopie abdominale de façon régulière, après le Dr Patrick Trudeau. On fait déjà des interventions sur le pancréas et sur l'œsophage, mais les médecins obtiennent en 2002 le feu vert pour s'attaquer aux cancers de l'intestin et du côlon par laparoscopie. Tant pour les patients que pour les administrateurs hospitaliers, il s'agit d'un progrès immense, car les lits sont libérés après quelques heures d'intervention, contre plusieurs jours pour une chirurgie conventionnelle. La récupération est beaucoup plus rapide et, sur le plan esthétique, les trois petits trous au bas du ventre sont nettement préférables à une balafre de plusieurs centimètres.

Dans les soirées mondaines, le couple qu'il forme avec sa femme Marie-Ève ne passe pas inaperçu. Blonde frisée aux pommettes saillantes, son épouse est une femme superbe. Au bras de l'élégant Stanley, dont la peau foncée fait ressortir les traits racés, ils font tourner les têtes. Le regard des gens l'enivre. «Nous formions l'image parfaite de la réussite sociale», résume-t-il.

Pourtant, derrière cette façade se cachent des inquiétudes grandissantes. D'abord, le couple ne parvient pas à avoir d'enfants. Ce n'est pas un drame, mais c'est préoccupant. Stanley, en particulier, souhaite avoir des descendants et il ne comprend pas que les choses traînent autant.

Deuxièmement, Stanley s'aperçoit que les plaisirs de la consommation sont éphémères et lui laissent un goût amer. «J'avais été habitué à la pauvreté. Voilà que je pouvais m'offrir tout ce que je voulais. Je devenais matérialiste. C'était un choc, car je ne comprenais plus où se situaient mes valeurs. Parfois, je ne me posais pas de questions et je jouissais sans réserve de mon train de vie. Le lendemain, je me réveillais dégoûté de moi-même. Je ne me reconnaissais plus.»

Dès le début de leur vie commune, le couple s'entend sur le fait que l'adoption pourrait être une option si aucune

68

grossesse naturelle ne parvient à terme. Une série de la chaîne britannique BBC sur les conditions de vie des enfants chinois, en 1995, le fera pencher pour une adoption internationale. On y voit des enfants sous-alimentés, abandonnés, malades. Le taux de mortalité infantile est élevé. «Nous étions d'accord sur le fait que nous pouvions sauver au moins un de ces enfants», relate Stanley.

Pour entreprendre les démarches, le couple fait appel à Enfants du monde en novembre 1995. La demande officielle est déposée en février suivant, après une évaluation détaillée des motivations et des conditions psychologiques des futurs parents. Ils remplissent des tonnes de documents et reçoivent enfin une réponse positive en octobre 1996. À partir de l'acceptation de leur requête, ils doivent se ternir prêts à se présenter en Chine pour recueillir une enfant qui leur est destinée. La nouvelle arrive au début de l'année: Chu-Fei Yang naît le 20 janvier et le couple se présente dans un hôtel de Yangzu huit mois plus tard. Ils ont transité par Shanghai et Nankin.

Lorsque Stanley prend l'enfant dans ses bras, il est ému aux larmes. Il y a 10 autres couples présents dans l'hôtel afin de recevoir leur bébé pour le ramener au Québec. Stanley tient à honorer la mémoire d'une parente, nommée Alys, mais le couple s'entend sur le fait que le prénom Sophie serait plus près, phonétiquement, de son prénom chinois, «Chu-Fei». Elle est si petite qu'il la dépose dans une valise, un objet qu'il possède toujours et qui lui rappelle immanquablement l'accueil si particulier de sa fille.

Stanley et sa femme passent trois semaines en Chine. La découverte de ce pays l'émerveille et le trouble en même temps. Il note que les autoroutes sont nettoyées à la main avec des balais faits de branches reliées entre elles. Une ving-taine de balayeurs avancent ensemble pour couvrir la largeur de la chaussée. La peinture sur le bitume est également appliquée à la main, au pinceau. Une opération effectuée sur le continent américain par un seul camion – et un seul chauffeur. Le communisme, note-t-il, permet le plein-emploi, mais à des salaires dérisoires. La pauvreté est ici généralisée. En contrepartie, tout le monde travaille.

Il croit reconnaître ici et là des visages familiers de son village innu. C'est impossible, bien entendu, mais cette méprise illustre la parenté des faciès. «Je comprends, juste à regarder les gens, que les Indiens sont des descendants d'explorateurs venus d'Asie. C'est évident. Nous avons un air de famille.»

Quand, de retour au pays, Sophie-Alys commencera à parler français, son père lui fait apprendre quelques mots de sa langue maternelle. «Elle est la seule Chinoise au monde à parler innu», dit-il en riant.

Deux ans après le voyage en Chine, une surprise attend le couple qui se croyait infécond: une grossesse est menée à terme. Le 26 novembre 1999, Cloé vient au monde. Bien qu'elle soit prématurée, cette petite fille naît.

Cela, malheureusement, n'atténue que momentanément les insatisfactions d'un côté comme de l'autre. Le couple a évolué sur des chemins différents et les médecins sont des étrangers dans leur propre maison. Ils se séparent en 2003.

Chicoutimi

Stanley tente de chasser la tristesse de cet échec conjugal par une activité frénétique. Heureusement, à Chicoutimi, de 2003 à 2005, la vie professionnelle est enrichissante. Très souvent en salle d'opération, le médecin pratique à un rythme soutenu dans un hôpital où convergent des cas beaucoup plus intéressants qu'à Baie-Comeau. Il est bien appuyé par les cliniciens en place qui sont toujours prêts à le conseiller sur les meilleures interventions, les recherches en cours dans leur domaine, etc. Plusieurs resteront des amis.

Entre-temps, il s'est uni à une nouvelle conjointe, Julie Boulianne. Ils décident de cohabiter en 2004. Originaire de Baie-Comeau, la jeune femme a pris goût à la ville et elle souhaite s'installer à demeure à Montréal. «Elle a accepté de déménager à Chicoutimi, mais pour une année seulement. Après, il lui faudrait trouver un autre travail et se rapprocher des grands centres. C'était sa condition et je l'acceptais», se rappelle Stanley. La maison est acquise et, tout juste quelques mois après leur installation, elle tombe enceinte.

Le 5 septembre 2005, elle donne naissance à un fils. «C'était en pleine tempête. Pour cette raison, malheureusement, les parents de Julie n'ont pas pu venir le jour de l'accouchement. Moi, j'étais là, dans la chambre des naissances. C'est un collègue qui l'a accouchée et tout s'est très bien passé.»

Quelques jours avant, la parturiente avait fait un rêve étrange dans lequel elle avait vu son bébé naissant affublé d'immenses oreilles qui lui enveloppaient la tête et le visage. Après l'expulsion, elle n'avait qu'une crainte: comment sont ses oreilles? «Elles sont parfaites, ne t'en fais pas!», lui a répondu l'heureux papa en lui déposant le petit sur le ventre.

C'est peu après leur retour à la maison de Chicoutimi avec le bébé qu'une offre d'emploi arrive de l'Ontario. L'Université d'Ottawa offre à Stanley un poste de responsable du programme de santé autochtone à la Faculté de médecine, assorti d'un poste de chirurgien à l'Hôpital Montfort.

L'offre est intéressante. D'une part, le médecin obtient enfin un titre universitaire en étant nommé professeur adjoint. De l'autre, il conserve une pratique médicale régulière, ce qui assure à la famille reconstituée un salaire plus que décent. Certes, Julie aurait préféré un poste dans la grande ville, mais Ottawa constitue un bon «plan B». À deux heures de route de Montréal, elle se rapproche de la métropole. Dans une maison confortable, elle s'estime capable de se consacrer aux soins d'un bébé. Stanley accepte l'offre de l'Université d'Ottawa. Le déménagement a lieu en 2006.

En travaillant trois jours par semaine à l'université et deux à l'hôpital (officiellement, du moins. Dans les faits, il mène de front l'équivalent de deux emplois à temps plein.), c'est le début de sa carrière universitaire. Il combine l'enseignement et la pratique médicale avec une passion communicative. Il met en place dans un temps record le programme de santé autochtone de l'Université d'Ottawa.

Du côté de l'hôpital, toutefois, les choses sont plus difficiles. Si l'implantation de la laparoscopie (un des buts avoués de son embauche) se déroule à merveille, on se montre déçu, en revanche, de la disponibilité du nouveau chirurgien. «Le poste à l'Hôpital Montfort était à temps plein. J'avais donc une semaine de huit jours à livrer, chaque semaine, car j'en passais trois à l'Université.»

Les administrateurs grognent contre leur médecin à temps partiel qui fréquente les congrès. Alors qu'ils comptaient sur le nouveau venu pour pourvoir à un poste à temps plein, ils doivent assurer les absences inhérentes à ses responsabilités d'universitaire. Car le chirurgien doit préparer ses cours et ses conférences… «J'avais d'excellents collègues à l'Hôpital Montfort, mais ce n'étaient pas des chirurgiens académiques. Ils ne comprenaient donc pas très bien mon engagement universitaire.» Il doit constamment défendre son emploi du temps, obtenir des autorisations.

Le déménagement dans une autre province, dotée d'un autre système de soins et d'une mentalité différente, n'a rien pour simplifier les choses.

Et il y a Julie qui est malheureuse.

La chute

Pendant plusieurs mois, Stanley tente de ne rien laisser paraître. Il s'investit pleinement dans son travail. Les défis ne manquent pas, tant à l'hôpital qu'à l'université. Malgré tout, l'épuisement le guette. «J'ai beau travailler à 300%, accepter tout ce qui passe, je crois que je brûle la chandelle par les deux bouts.»

À la maison d'Ottawa, l'ambiance est lourde. C'était à Montréal que Julie voulait vivre et elle se retrouve dans la capitale fédérale, dans un quartier anglophone où elle ne connaît personne. Cette ville ne lui plaît pas particulièrement. Elle souffre de l'éloignement de sa famille et de ses amis, et n'apprécie pas les absences de son conjoint. Tout est laborieux. Jusqu'au choix des gardiennes d'enfants, qui s'avère désastreux. Une première nounou, d'origine caribéenne, préfère les incantations vaudou dans la chambre des maîtres aux soins du bambin. Prise sur le fait, elle est remerciée aussitôt. Une autre décidera de partir vers l'Amérique du Sud après trois semaines. Une troisième *baby-sitter*, venue du Québec, en fera autant après une seule journée. «C'est une période difficile. Quand je rentre chez moi, après une grosse journée de travail, je sais d'avance que je ne pourrai pas trouver un havre de paix. Relaxer en famille? Pas pour moi. Je sais que Julie est malheureuse et je me sens impuissant à la faire changer d'humeur.»

À force de se déplacer d'un aéroport à l'autre, tant sur la Côte-Nord que dans l'Est ontarien et un peu partout au Québec, il obtient une carte «élite» d'Air Canada sans même l'avoir demandée. Il fait alors jusqu'à 70 déplacements aériens en un seul mois...

Par contre, celui qui attire la confiance des gens et qui aime discourir sur tout se fait plus effacé. L'homme rit peu. Il ne s'amuse plus. Il a du mal à rester éveillé en fin de soirée et tombe dans son lit vers 21 h, épuisé. «L'épicurien en moi a disparu. Ce n'est certainement pas dans ma nature de laisser les gens discuter dans la cuisine alors que je vais me coucher. Rétroactivement, je peux le dire: je glissais lentement vers la dépression. Ma vie était un abîme.»

Le 2 juillet 2007 reste gravé dans sa mémoire comme le jour où tout a basculé. Il revient du travail et, autour de la table de la salle à manger, on se prépare au souper. Les deux filles, Cloé et Sophie-Alys, sont là, de même que Julie et leur fils. Julie lui annonce qu'elle ne l'aime plus. Elle le quitte et emmène Xavier.

«C'est le début de ma chute», constate Stanley.

«Les médecins, poursuit-il, ont une sensibilité pour la souffrance humaine. Ils la préviennent, la diagnostiquent, la soulagent et la font disparaître lorsque c'est possible. Mais cela ne vaut que pour les autres. La détresse, on ne la voit pas quand elle nous concerne ou quand elle s'abat sur un de nos collègues.»

En tout cas, les médecins de l'Hôpital Montfort ne comprennent pas que Stanley est au bout du rouleau. Ils ne le prennent pas au sérieux. Ils accueillent ses plaintes sans émotion et lui font sentir qu'ils seront plongés dans un surcroît de travail s'il les laisse tomber. Le chirurgien n'insiste pas et renonce à tout arrêter.

Stanley continue à fonctionner en mode «pilotage automatique». Il continue de croire que le travail demeure, malgré tout, le meilleur endroit où canaliser son mal de vivre… C'est seulement le soir venu, lorsqu'il arrive à la maison, que le sentiment négatif s'empare de lui.

L'insomnie et les problèmes d'appétit s'accentuent. Le 14 août, Julie déménage comme convenu. Mais Stanley n'est pas sur place puisqu'il assiste à un congrès dans l'Ouest canadien.

Lorsqu'il rentre à Ottawa après le départ du camion de déménagement, il retrouve une maison à moitié vide. «C'est la désolation totale, relate-t-il. Je passe d'une pièce à l'autre et je sens une couche de tristesse s'ajouter à chaque pas.»

Quand il arrive dans la chambre de son garçon, vidée de ses meubles, il s'écroule en sanglots. Il pleure longtemps, couché en position fœtale au milieu de la pièce déserte où seuls quelques clous, au mur, rappellent la vie passée.

«La perte de mon fils est le sommet de mes malheurs. Moi qui rêvais depuis mon enfance de construire une famille unie, non seulement je me retrouve devant un échec, mais il s'agit d'un deuxième échec en deux ans à peine.»

Les dettes sont un autre souci. Cette maison devient du coup beaucoup trop grande pour lui, et il faut prévoir verser la moitié de la valeur marchande à son ex-conjointe…

Vraiment, les émotions ne peuvent être plus sombres.

Hors des heures de travail, l'anxiété et l'angoisse recommencent à le ronger de l'intérieur. N'en pouvant plus, il compose le numéro de téléphone de son médecin de famille. «Elle me prescrit des somnifères pour m'aider à dormir et des antidépresseurs. Je gobe les somnifères, mais pas question d'antidépresseurs. Dans mon esprit, même si je suis en plein épuisement psychologique, je refuse le recours aux médicaments de l'âme.»

Une des causes de cette descente aux enfers est le fait que ni ses amis ni sa famille ne sont présents à ses côtés. Des proches de Pessamit résident bien à quelques coins de rue de chez lui, mais ils sont introuvables à ce moment-là. Et l'absence de Julie et des enfants accentue encore ce sentiment d'isolement. «Je souffre beaucoup de ne pas pouvoir parler à personne. Je suis désespérément isolé.»

Personnalité sensible à la musique, Stanley porte attention aux paroles d'une chanson du groupe Linkin Park, *What I've done*, qui connaît beaucoup de succès sur les stations de radio, cette année-là. Dans son refrain, *Erase myself* (Efface-moi), la chanson dit : «Mets en veilleuse ce que tu penses de moi / Quand je nettoierai l'ardoise / Avec mes mains incertaines / La miséricorde lavera tout ça / Ce que j'ai fait, je l'assumerai malgré moi / Efface-moi et n'en parlons plus ![12]»

Cette chanson semble s'adresser directement à lui. «Je l'écoute dans mon auto et elle me parle intimement. Quand j'y repense aujourd'hui, je constate à quel point cette chanson appelle au suicide. C'est une incitation à la mort. Elle dit et redit que la solution est là. S'effacer, c'est la seule façon de trouver la paix quand on est désespéré.»

Stanley croit lui aussi que le suicide est sa seule issue. Comme il est un homme organisé et méthodique, il conçoit minutieusement son plan. Il choisit sa journée, la pièce où il s'exécutera et la méthode. «J'ai vu suffisamment de gens se présenter à l'urgence avec la moitié de la tête arrachée – mais vivants – pour savoir qu'il importe de ne pas se manquer. J'ai donc l'intention de réussir du premier coup. Sans ambiguïté.»

L'arme sera un 30-06 et le lieu la chambre de ses filles, au sous-sol. Il charge l'arme avec une cartouche et se confectionne un bâton qui lui permettra d'actionner la gâchette à distance. «Ça peut paraître insignifiant, mais si on n'a pas cet outil, l'angle de tir est incertain et on peut survivre avec des séquelles très graves. J'ai donc avec moi mon *trigger-puller* au moment de charger l'arme.»

Lorsque tout est en place, il sort dans la cour afin de composer sur son téléphone un texto destiné à son ami Louis Hudon, agent d'immeuble de la région de Québec. «Lorsque tu liras ce texte, je serai mort», dit la première phrase. Les deux paragraphes qui suivent exposent brièvement les raisons

---

12. Traduction libre du couplet suivant : *Put to rest / What you thought of me / While I clean this slate / With the hands of uncertainty / So let mercy come / And wash away / What I've done / I'll face myself / To cross out / What I've become / Erase myself / And let go of*, extrait de *What I've done*, Linkin Park.

de ce suicide et ses circonstances. Il enjoint le destinataire à téléphoner à la police pour venir constater le décès.

Comme il sait que la réaction pourrait être rapide, il prend soin de ne pas appuyer sur *Send* avant de revenir dans la chambre pour appliquer son plan. Mais un dernier regard sur une photo de ses filles, souriantes, en compagnie de leur petit frère, vient jeter un doute dans son esprit. Après tout, il faudrait bien que ces enfants aient droit à leur paragraphe personnalisé… Quand leur père sera mort, il sera trop tard pour leur expliquer qu'ils ne sont pour rien dans cette affaire. Pris de remords, il retourne dans le jardin et rédige quelques mots à leur intention.

Il s'apprête à appuyer sur la touche *Save* pour sauvegarder sa prose. Mais il se trompe de bouton et appuie sur *Send*; aussitôt, le texto est parti. «Je crois, rétrospectivement, que j'ai appuyé sur *Send* en pensant *Save*. Comme dans *Save my life!*», raconte-t-il aujourd'hui.

En effet, cette bévue fera dérailler le plan. Stanley n'a pas le temps de se réinstaller avec le fusil que le téléphone portable sonne. C'est Louis, qui vient tout juste de lire le texto. «Qu'est-ce qui se passe, Stanley?», lance-t-il à l'autre bout du fil.

Un peu décontenancé, le médecin bafouille et cherche ses mots. Il tente de tourner la chose en dérision. «C'est pour rire. Je voulais voir comment tu réagirais. C'est tout.»

Son interlocuteur n'est pas convaincu. Il hésite entre la colère et la compassion. Louis propose de prendre le volant pour venir le réconforter, quitte à rouler durant cinq heures d'affilée. Stanley refuse. On parlemente. La conversation s'étire. Elle dévie sur les désespoirs du médecin, sur les pans de sa vie qui se lézardent. Les deux hommes passeront la soirée au téléphone. «Louis, ce soir-là, a sauvé ma vie. J'étais bien décidé à en finir et je ne serais plus là s'il ne m'avait pas téléphoné en pleine crise. C'est ce qu'il me fallait pour dévier de ma pensée autodestructrice[13].»

Après cet appel, Stanley désamorce son fusil et le replace dans son étui. Dans les semaines qui suivent, il ne repensera plus au suicide, mais ses malheurs ne disparaîtront pas pour autant. Au contraire, quelque 18 mois d'errances seront nécessaires avant que l'homme solide qu'on connaît aujourd'hui ne renaisse de ses cendres. «Je croyais bien être au fond du gouffre. La dépression m'a appris que je pouvais descendre plus bas encore.»

Cet épisode sera longtemps gardé sous silence. Longtemps, ses ex-conjointes elles-mêmes n'en ont rien su.

Mais Stanley a toujours exprimé sa reconnaissance à Louis – le parrain de Xavier au demeurant – qui était là quand il a eu besoin de lui.

La voie de la guérison

Aux yeux de l'analyste rationnel, Stanley subit une crise personnelle qui l'a conduit dans une dépression proche de la psychose. C'est un problème de santé mentale qui peut se soigner avec une médication adaptée, de nos jours. Dans le langage autochtone, il s'est laissé envahir par de mauvais esprits qui habitaient cette maison d'Ottawa... et l'habitent encore. «Je n'étais pas en contrôle de ma pensée; ces esprits s'étaient emparés de moi. Il fallait donc purifier mon espace», affirme-t-il.

Pour conjurer le sort, Stanley procède pendant les jours suivants à une fumigation cérémonielle, passant de pièce en pièce avec de la sauge incandescente. Il veut chasser les éléments négatifs de sa maison afin de laisser de la place aux bons esprits. D'instinct, il sait que les choses mettront du

---

13. Louis Hudon et sa femme Isabelle Lépine sont demeurés des amis très proches et sont aujourd'hui parrain et marraine de Xavier Vollant.

temps à s'ajuster et qu'il faudra déployer d'intenses efforts pour y arriver.

Il pratique aussi la course à pied. Plusieurs fois par semaine, il enfile ses espadrilles et trotte sur quelques kilomètres. L'air qui entre dans ses poumons lui fait du bien et la fatigue physique qui suit l'effort est un baume pour cet homme brisé. «La course a eu sur moi un effet thérapeutique certain, dit-il. J'en ai usé et abusé. Au point de m'inscrire au Marathon international de Montréal et d'y réaliser mon meilleur temps: 3 h 29.»

Il a fait mieux depuis. Après son premier marathon à Québec en 2004, bouclé en 3 h 32 malgré une rupture du plantaire gauche qui l'a forcé à courir sur une seule jambe pendant les 10 derniers kilomètres, il a complété au total 25 marathons de 42,2 kilomètres. Il a pris part aux courses de Vancouver, Edmonton, Toronto, Niagara, Ottawa, Philadelphie, Los Angeles, Miami et Athènes, en Grèce, entre la ville de Marathon et le stade de la capitale de la Grèce où se sont tenues les premières Olympiades modernes en 1896.

Malgré tout, en 2007, la course ne vient pas à bout de sa difficulté de vivre et de sa fatigue généralisée. Lorsque le médecin termine son quart et qu'il rentre chez lui, il ne résiste pas bien longtemps à l'appel du lit et c'est d'un profond sommeil qu'il s'endort jusqu'au lendemain. Les invitations continuent d'affluer vers le bureau du professeur d'université et il regrette d'avoir accepté une rencontre en Nouvelle-Zélande en octobre.

Plutôt que de l'emballer, la perspective de devoir traverser à deux reprises l'océan Pacifique (chaque fois un vol de 16 heures sans escale) fait partie du problème. «Je dois y présenter une conférence sur la réalité autochtone devant un auditoire international, mais le cœur n'y est pas. Je n'ai pas la tête à la préparation de mon allocution, dont je n'ai pas écrit une ligne à quelques semaines du départ. Je me convaincs que c'est de plus en plus ridicule, dans les circonstances, d'aller là-bas.»

Il prend rendez-vous avec son médecin de famille, une dame qui le connaît depuis peu, référée par l'Ordre professionnel des médecins de l'Ontario, et lui explique la situation. Elle refuse sans appel de lui signer un billet. «Quand tu prends un engagement, tu le tiens», lui dit-elle en substance.

La surprise passée, Stanley n'a d'autre choix que de faire ses valises et de confirmer sa réservation. Quelques semaines plus tard, il se retrouve dans les pâturages néo-Zélandais... et il fera contre mauvaise fortune bon cœur. «J'ai beaucoup appris de ce voyage. J'ai découvert un pays merveilleux et un peuple indigène dont j'ignorais presque tout, les Maoris. Ça a été le début de ma nouvelle vie.»

Mais une surprise attend cet homme des bois doté d'un excellent sens de l'orientation alors qu'il s'égare dans l'arrière-pays. Lui qui sait habituellement se reconnaître partout se sent dépourvu et ressent un malaise physique, une nausée doublée d'un sévère mal de tête. Il croit comprendre soudainement pourquoi : projetée dans l'autre hémisphère, sa boussole intérieure est déréglée. Impossible de savoir où se trouvent le nord, l'est, l'ouest et le sud...

De leur côté, les Maoris se montrent accueillants envers leur frère venu de l'autre côté du globe. Ils échangent longuement sur leurs légendes respectives, leurs points communs et leurs divergences. Impressionné par les tatouages qu'ils portent, Stanley veut garder un souvenir indélébile de cette rencontre et prend rendez-vous avec celle qui réalise les plus beaux tatouages de la communauté. Il veut avoir sur la peau un symbole maori. La dame refuse de lui en greffer un. Seuls les Maoris de longue filiation peuvent obtenir un tel symbole. Elle trahirait son peuple si elle manquait à cette règle. Mais elle accepte de lui créer un graphisme «d'inspiration» maorie. Elle doit alors mieux le connaître. Une discussion s'ensuit.

Pendant près d'une heure trente, Stanley dresse le bilan de sa vie.

«Je me suis fait tatouer ma vie telle qu'elle m'apparaissait jusque-là.» Le dessin, abstrait, est circulaire, mais ne constitue pas un cercle fermé. «Pour nous, autochtones d'Amérique, le cercle est un signe de pérennité et d'harmonie ; pour eux, cela signifie la mort. Quand un cercle se referme, on ne vit plus.»

Elle crée donc un dessin bleu et rouge, intégré dans un cercle brisé. Seul le cercle ouvert permet à une personne de grandir, de sortir de ses écueils, explique-t-elle. On y voit des éléments graphiques qui rappellent, entre autres, des motifs des vases iroquoiens préhistoriques et une pointe de flèche stylisée. Pourquoi s'est-il fait tatouer ? Encore aujourd'hui, c'est une question difficile : «Je ne sais pas. Je crois que je voulais marquer une transition de l'ancienne à la nouvelle vie. C'est un rite de passage, une tradition importante dans la culture autochtone.»

En attendant sa présentation, Stanley passe du temps à l'hôtel. Un de ses amis, le Dr Barry Lavallee, un médecin autochtone du Manitoba, lui conseille d'aller courir. «You are a runner. Go. Have a small run», lui dit-il.

Stanley enfile sa combinaison et entame un petit trot, sans autre but que celui de se changer les idées. «Je croyais faire 20 minutes de course. J'en ai fait près de 3 h 30. Cette course m'a permis de repartir un nouveau chapitre. J'ai connu un véritable état de grâce au cours de ce trajet.»

Courant sur les crêtes d'un volcan, le paysage où il se trouve plongé est à couper le souffle. Les douleurs qu'il ressentait n'ont plus aucune emprise. Il s'évade dans ses pensées. Ce sont des images de son enfance qui lui reviennent en mémoire. «J'ai revu la rivière Pessamit telle que je l'avais connue avec mon grand-père. Je ne l'ai pas descendue depuis 25 ans, mais elle est restée en moi comme un livre ouvert. C'est le cours d'eau de mon enfance, une rivière riche, poissonneuse, tout en méandres et en écume. Je me suis imaginé marchant avec mes deux filles, près du rapide du corbeau. De voir ma rivière de cette façon, cela signifiait pour moi comme un retour aux sources.»

Bien qu'il considère en rétrospective qu'il était un peu «illuminé» durant cette randonnée, c'est là qu'il verra germer, pour la première fois, l'idée d'un pèlerinage. «Je me suis surpris à souhaiter un grand temps d'arrêt dans ma vie. Un moment pour me permettre de me reconstruire. Je marchais sur des terres lointaines. Je ne me souviens pas d'avoir évoqué la route de Compostelle, mais cela a vite fait partie des plans.»

À son retour à Ottawa, Stanley voit rapidement la routine se réinstaller; les «mauvais esprits» rôdent encore. Le surmenage, voire la rechute, guette. Cette fois, il se résout à composer le numéro du programme d'aide aux médecins de la province de l'Ontario. Il prend un rendez-vous. Un échange suffit pour convaincre le professionnel de l'état de santé de Stanley. «J'étais resté un bon chirurgien, mais j'étais dangereux pour moi, et je pouvais le devenir pour les autres. Un médecin dépressif peut mettre la vie de ses patients en danger...»

C'est son médecin de famille qui «tire le bouchon» de sa vie active. En décembre 2007, ordre est donné de prendre un congé de maladie.

Mais un médecin ne démissionne pas ainsi du jour au lendemain. Pendant plusieurs semaines, il demeure au poste pour passer les responsabilités en matière de laparoscopie dans le groupe de l'Hôpital Montfort. Il assiste les médecins et les conseille sur les meilleures méthodes à adopter lorsqu'ils pratiquent cette nouvelle technologie.

Andrea

Au restaurant Cactus, à Ottawa, Stanley fait la rencontre le 21 décembre 2007 d'une femme de 31 ans, mère de deux enfants, qui travaille comme gestionnaire dans une entreprise ontarienne. C'est une élégante blonde aux yeux bleus, dont Stanley décrypte sans effort la sensualité. Les regards qu'ils s'échangent dès les premières secondes suffisent pour les convaincre que le courant passe entre les deux. Ils discutent un moment de cuisine toscane, échangent un livre et promettent de se revoir... Entre-temps, ils ont eu la chance de danser ensemble à Gatineau et Stanley lui a volé un baiser sans respecter le code en vogue dans son sens moral : pas de baiser le premier jour. «Comme Québécois, je ne reconnais pas ces codes!», lui lance-t-il, hardi. Il enfreindra la deuxième règle quelques jours après...

Entré aussitôt dans la famille d'Andrea Thomas, Stanley aura un bon contact avec ses enfants et son chat nommé... Stanley. Dans la cuisine, il faut préciser si on s'adresse à Stan-the-cat ou à Stan-the-man. Avec cette femme, il se sent parfaitement compris. Il laisse pousser ses cheveux, ce que son ancienne compagne détestait. Il a l'impression enfin d'être accepté comme il est, sans jugement négatif.

Une experte en gestion et en comptabilité, cela ne peut pas mieux tomber pour un homme qui vient de subir une deuxième séparation et qui a donc trois pensions alimentaires, deux ex-conjointes et une maison à hypothéquer... «Toutes mes affaires sont à revoir. J'ai accumulé six mois de courrier. J'avais des retards de paiement, des suspensions de contrats. Andrea m'a permis d'y voir plus clair.»

Le couple passe de longues heures à discuter et Andrea comprend que son homme a besoin de marquer un temps d'arrêt pour entamer sa reconstruction. Lorsqu'il évoque le chemin de Compostelle, elle l'écoute et l'encourage. Elle lui dit alors une chose qui demeure, à ce jour, un des plus beaux témoignages d'amour à lui avoir été présenté : « Je t'aime et je te souhaite ce voyage, même si cela devait me séparer de toi à jamais. »

Le 9 avril 2008, Stanley Vollant décolle de l'aéroport de Montréal en direction de la France. Il a suspendu ses activités professionnelles jusqu'à nouvel ordre et fait savoir à ses proches qu'il serait impossible de le joindre. Objectif : marcher vers l'Espagne et se trouver des moyens de surmonter les temps difficiles.

Rappelons que le chemin de Compostelle est un pèlerinage d'inspiration catholique qui existe depuis le Moyen-Âge. Au total, le parcours fait environ 1 500 kilomètres. Longtemps considéré comme un acte de foi, le pèlerinage rassemble aujourd'hui, en plus des fervents croyants, de simples adeptes de vélo ou de randonnée pédestre ou à cheval. Le pèlerinage s'est « laïcisé » en somme. La destination est née de la découverte, dite miraculeuse, du tombeau de l'apôtre Jacques, frère de Jean l'évangéliste, à l'endroit où se trouve aujourd'hui la cathédrale de Saint-Jacques-de-Compostelle, en Espagne, vers l'an 800. De nos jours, quelque 200 000 pèlerins font le trajet chaque année.

« La route te montrera le chemin »

Après la liaison aérienne entre Montréal, Paris et Toulouse, le randonneur se rend en train au village de Saint-Jean-Pied-de-Port, en Aquitaine, où doit commencer sa randonnée. Il a une cinquantaine d'euros en poche et compte se ravitailler durant la marche aux comptoirs des banques ou aux guichets automatiques. Le premier jour est brumeux et froid et le marcheur souffre d'un vilain rhume. Quand on met un pied devant l'autre et qu'on n'a pas d'autre objectif que le prochain pas, tout paraît simple. C'est vrai pour les premiers kilomètres du chemin de Compostelle. Mais à mesure que le temps passe, le poids du sac se fait sentir. D'abord discrètement, puis plus distinctement.

Déjà, la traversée des Pyrénées s'avère plus difficile que prévu. Il marche environ 40 kilomètres dans un chemin ascendant et se retrouve au-dessus des nuages. La vue est belle, mais c'est un mince réconfort pour lui. Non seulement entame-t-il ce voyage en état d'épuisement, mais des ampoules aux doigts de pied le font souffrir. Dès la première journée, un orteil sur deux est enflé. Sa compagne l'avait pourtant prévenu : un tel voyage ne peut se faire avec plus de 10 kilos sur le dos ; «You are gonna feel every once over it[14]!», a-t-elle dit quand elle l'a vu emplir son sac de randonneur. Il lui a répondu que ces lois ne s'appliquaient qu'aux Blancs. Un Indien comme lui peut porter deux fois ce poids sans même s'en apercevoir.

Mais le deuxième jour ne fait que confirmer sa première impression : le sac est trop lourd. Il faut dire que le poids des vivres et de l'eau ajoute à celui des vêtements, du sac de couchage et des objets essentiels. Marcher sur une longue distance exige une préparation matérielle minutieuse, à défaut d'une longue expérience. «Je constate que je n'y arriverai pas. Mais mon orgueil tient bon. Je poursuis donc mon chemin sans retirer de bagages de mon sac, ce qui ne fait qu'empirer mon cas. Au troisième jour, je suis résigné, je vais me délester. On me suggère de déposer le superflu à la «poste restante». Je le récupérerai au moment opportun pour le renvoyer au Canada.»

Manque de pot, les bureaux de poste sur sa route sont fermés pour cause de... *siesta*. Chez les Espagnols, pas question de servir les infortunés qui frappent à la porte après le déjeuner. Il doit donc traîner son surplus de poids pendant plusieurs jours. À cette épreuve s'ajoute un élément inattendu pour le Nord-Américain débarqué dans la vieille Europe : les banques sont peu fréquentes dans l'arrière-pays et les guichets automatiques sont introuvables. Il s'avère,

---

14. «Tu vas sentir chaque gramme supplémentaire!»

de plus, que son numéro d'identification personnelle n'est pas reconnu par les lecteurs européens. Lorsqu'il parvient à parler à un préposé bancaire, c'est pour se faire dire que son problème ne sera réglé qu'en personne... à Madrid. Mais la capitale est à 300 kilomètres et il n'a même pas assez d'argent pour se payer le transport.

Devant l'infortune, il décide d'économiser au maximum ses ressources afin de tenir le plus longtemps possible, avec l'espoir qu'une banque lui permette de transférer des fonds. Son calcul réduit ses dépenses à 5 euros par jour. «J'ai tout juste ce qu'il faut pour m'acheter une baguette, un morceau de jambon et un fruit (pomme ou orange) par jour.»

Alors que la faim le tenaille, il puise au fond de lui toutes ses ressources. Il parvient à se débarrasser du surpoids, mais il maigrit à vue d'œil et la fatigue l'amène au bord du délire. Au septième jour, il aperçoit à l'horizon la silhouette d'une ville qui semble s'éloigner à mesure qu'il s'en approche. Découragé, son regard s'abandonne vers ses jambes et il devient la proie d'une curieuse illusion d'optique. Il se voit marcher avec des petits pieds d'enfant. L'hallucination s'accompagne d'une image de son grand-père à ses côtés, comme au temps de leurs balades dans le bois de la Côte-Nord. Cette image le ragaillardit. Une éclaircie accompagne la vision idyllique et un sentiment de bien-être l'envahit. «Je me suis senti un peu plus énergique à partir de ce moment-là, relate-t-il. Une explication scientifique est possible : j'ai sécrété dans mon organisme une surdose d'endorphines qui m'ont en quelque sorte troublé l'esprit. Je préfère l'explication mystique. C'est Gitche Manitou qui s'est manifesté ce jour-là.»

Hasard ou intervention divine? En tout cas, les problèmes se dissiperont peu à peu après cette traversée du désert. L'arrivée dans la ville de Burgos lui permet un traitement princier. Il s'y trouve en effet un hôtel quatre étoiles qui accepte sans hésiter la carte de crédit que le client lui tend.

Arrivé poussiéreux, hagard et affamé, le marcheur ressortira reposé et repu, le lendemain. Et quand il se présente devant un guichet automatique, il fait le vœu de prier régulièrement Gitche Manitou s'il lui soutire les 100 euros demandés. Le miracle se produit!

Depuis, Stanley tient parole : pas une journée ne passe sans qu'il remercie son dieu pour la nourriture obtenue et la santé dont il jouit.

La seconde semaine de son chemin de Compostelle s'entame dans de meilleures conditions que la première, même si ses blessures aux orteils ne sont pas guéries. Cette marche a pourtant encore bien des surprises à livrer. « Je me souviens que nous étions à une vingtaine de kilomètres de la ville d'Astorga. Nous étions un petit groupe de marcheurs à coucher à la même auberge. Il y avait, avec moi, trois Français, dont un apothicaire de Paris, prénommé Daniel. J'ai fait cette nuit-là un rêve étrange où je voyais mon grand-père. C'était un rêve très détaillé où il me disait que je devais revenir au Québec faire œuvre utile. Il me suggérait d'organiser une grande marche où les Indiens seraient conviés à retrouver la fierté de leur appartenance. Ils retrouveraient dans la marche des coutumes ancestrales. Ce serait une grande marche intergénérationnelle et interculturelle, où tous seraient les bienvenus. Les miens avanceraient avec les Blancs, de façon fraternelle. »

Le lendemain, lorsqu'il raconte le contenu de son rêve à ses compagnons, Daniel l'écoute avec attention et lui lance, au terme de son récit : « Ce n'était pas un rêve, mais une vision. »

Stanley s'interroge. Il est vrai qu'un voyage à pied reliant les communautés innues aux Mohawks de Montréal, en passant par les Attikameks, les Cris, voire les Inuits, serait une merveilleuse façon de faire connaître les cultures autochtones auprès des citoyens québécois et canadiens. Mais comment organiser un tel pèlerinage? Avec quel argent? Avec qui? Les questions se posent, nombreuses, incontournables. «La route te donnera les réponses!», répond Daniel sans s'inquiéter outre mesure. Stanley repensera souvent à cette phrase empreinte de sagesse et d'espoir.

Le lieu de cette «vision» n'est pas fortuit. Le lendemain, une étape importante de son chemin doit être franchie. Depuis le début de son voyage, Stanley a gardé dans sa poche un caillou pris sur les rivages du fleuve Saint-Laurent à l'endroit même où il a vu le jour et destiné à un endroit précis : la croix de fer (*Cruz de Ferro*) d'Astorga. Situé à 1 500 mètres d'altitude, ce monument est constitué d'un poteau de bois de cinq mètres de haut, couronné par une immense croix en fer. Elle est érigée sur un monticule de cailloux, amenés un à un par les pèlerins qui y voient un élément symbolique très fort. «En déposant la pierre à cet endroit, j'ai décidé de laisser là mon ancienne vie. Un nouvel homme doit reprendre la route. Ce geste est symbolique, mais très important à mes yeux.»

La Danse du soleil

Après le pèlerinage, les retrouvailles à Ottawa sont intenses. Andrea est là pour l'accueillir à l'aéroport et ce geste lui plaît beaucoup. Durant un mois, l'homme vit dans une sorte d'euphorie. Satisfait de ses choix, il est en paix avec lui-même et avec son passé. Quant à l'avenir, il réapparaîtra peu à peu avec ses zones d'ombre et ses pièges.

En bref, le médecin est heureux, mais il sait que cette émotion est due à son retour de pèlerinage. «Je ne suis qu'à une étape de mon processus de guérison. Depuis mon enfance, je rêvais de vivre le *Sun Dance*, une expérience de renaissance des Indiens des plaines. J'avais vu ce rituel pour la première fois, au cinéma, et ça m'avait hautement impressionné.»

Décrite comme l'un des rites les plus exigeants des Premières Nations d'Amérique, le *Sun Dance* (Danse du soleil) est une épreuve initiatique qui a lieu une fois par an, durant la pleine lune du solstice d'été. À Winnipeg, au Manitoba, elle se pratique depuis plusieurs générations, en préparation de la chasse aux buffles. Très exigeant physiquement, ce rituel symbolise une renaissance personnelle et le «renouveau du monde terrestre», selon Assiniboine Tipis, un site spécialisé sur la culture autochtone[15]. Les participants s'infligent des souffrances à la limite du supportable et en gardent souvent des cicatrices permanentes. Ces souffrances veulent démontrer qu'il existe une continuité entre la vie et la mort, que la mort n'est pas une fin en soi, mais fait partie d'un cycle, selon la même source. La Danse du soleil et les rituels semblables, comprenant des mutilations, ont été interdits aux États-Unis en 1881. Mais cette pratique est demeurée courante, clandestinement, jusqu'en 1934, alors qu'une loi a autorisé les autochtones à retrouver leurs pratiques ancestrales.

Du 19 au 22 juin 2008, Stanley Vollant se rend donc dans la capitale manitobaine pour participer au rituel initiatique. C'est le seul endroit au Canada où le *Sun Dance* traditionnel est encore pratiqué. N'y entre pas qui veut, mais il a obtenu son «visa» grâce à l'intervention d'une de ses amies qui pratique la médecine dans l'Ouest.

La journée s'entame avant le lever du soleil, dès 5 h 30. Un chaman préside aux activités jusqu'à la tombée de la nuit, vers 21 h 30, après une heure dans la tente de sudation. Ayant accès à quelques gorgées d'eau par jour, afin d'éviter la déshydratation, les initiés passent plusieurs heures à danser au soleil, à jeun, et sans prononcer une seule parole. La quarantaine de participants (auxquels se joignent autant de danseurs accompagnateurs) ont accepté d'aller à l'extrême

15. http://www.artisanatindien.com/sundance.html

limite de leurs capacités physiques et se prêtent à des scarifications. On leur noue une lanière de cuir à partir d'un morceau de bois inséré dans la peau du dos. Cette attache, de la grandeur d'un crayon à mine, a été fixée à la manière d'un *piercing* par deux ouvertures pratiquées à froid. Au bout de ces lanières sont fixés des crânes de bisons sacrés qu'il faut tirer sur une distance d'environ 400 mètres. «J'aurais dû souffrir énormément durant cette épreuve, mais l'idée est justement de vaincre la douleur. Nous entrons dans un état méditatif profond qui nous permet d'offrir notre corps. Ce rituel sacrificiel a une haute portée symbolique, et nous apporte un bien-être physique et mental très puissant», signale l'initié qui porte toujours des marques de sa Danse du soleil sur la peau.

Les lanières de cuir, faites à l'origine de peau de bison, représentent les rayons de lumière émanant du Grand Esprit. En tirant sur cette lanière, l'homme se libère de ses emprises. «Il y avait trois manières d'offrir sa souffrance, expliquent les auteurs en relatant les origines de ce rituel initiatique : fixer le soleil en étant percé, en étant suspendu, ou en tirant des crânes de bisons. Il était aussi possible aux danseurs d'offrir des morceaux de leur chair aux parents ou amis. Cette autotorture symbolisait une renaissance. (...) Quand les danseurs étaient tous libérés, la Danse du soleil était terminée. On allongeait alors les danseurs sur des lits de sauge où ils continuaient à jeûner et racontaient leurs visions au chaman. On en faisait de nouvelles chansons, de nouveaux pas de danse. On en tirait même des prophéties. Quand la tribu était prête à lever le camp, les objets sacrés étaient disposés en pile au pied du mât. On ne les emmenait pas parce qu'ils étaient trop sacrés pour être utilisés à nouveau. Ces objets retournaient à la nature.»

Après trois jours et trois nuits de ce régime, Stanley obtient le respect de ses congénères. Et il peut retrouver sa vie de médecin. Encore aujourd'hui, il sait reconnaître les marques du *Sun Danse* sur la peau de ses compatriotes. «J'y retournerai peut-être un jour; je ferai alors le rituel consistant à être suspendu dans les airs comme un aigle, par des morceaux de bois fixés dans la peau.»

Mais cela n'est pas pour un avenir prochain. Durant les mois suivants, ses objectifs se résument en trois mots: enfants, université, chirurgie. Il devra rétablir ses priorités. Les enfants, il doit assumer à leur endroit son rôle de père. Encore faut-il obtenir les droits légaux qui lui permettent de le faire. Grosses batailles en vue.

Du côté de l'université, il lui faut reconquérir la place qu'il occupait et qu'il a négligée au cours des derniers mois. Cela ne devrait pas être trop difficile, car les bons médecins pédagogues ne courent pas les rues. Or, Stanley est apprécié de ses étudiants autant que de ses collègues de travail. Quant à la chirurgie, les choses sont plus compliquées. Quand on passe un certain temps sans pratiquer, l'ordre professionnel exige une mise à niveau.

Le retour en ville est donc jonché d'obstacles. De plus, Andrea n'est plus la même femme qu'avant son voyage. Les disputes s'enchaînent. En septembre 2008, c'est la rupture. Des regrets? «Oui, je regrette notre séparation. Rétroactivement, je crois que c'est Andrea qui incarnait le mieux ma notion d'amour entre un homme et une femme. Elle était à la fois très proche de moi et toujours prête à m'encourager à me sortir de ma zone de confort. Je crois que notre rupture m'a beaucoup miné.»

Il faut dire qu'Andrea et Stanley doivent composer avec la lourdeur des processus juridiques opposant le médecin à ses ex-conjointes. Le fait de vivre en Ontario et de devoir répondre à des lois et à une fiscalité québécoise n'est pas de tout repos.

Aux prises avec la mère de Xavier pour la garde du petit, il obtient un droit de visite du jeudi au lundi. Son avocate lui fait savoir que s'il veut obtenir davantage, il doit s'imposer et prendre l'enfant plus que les jours prescrits. Il n'est pas d'accord avec cette façon de procéder, mais il s'y résigne. Il décide donc de prendre son fils une journée de plus, à l'occasion, ce qui a l'heur de déplaire à Julie. Elle lance une plainte pour harcèlement. Venu chercher son fils à l'école, Stanley se voit accueilli par... une voiture de police. Explications. «Ils croyaient que je voulais kidnapper mon enfant. Je leur ai expliqué la situation et ils ont compris.»

Durant l'année 2009, la vie de Stanley consistera à tenter de défendre ses causes à la Cour auprès des mères de ses enfants. C'est une année difficile que tout parent séparé peut comprendre. «C'est une année perdue, dans ma vie», résume-t-il.

Responsable de la santé autochtone

«Quelqu'un connaît-il le nom de cet instrument médical?» lance le Dr Stanley Vollant à un groupe de jeunes de l'école primaire Niska de la réserve d'Obedjiwan, en Haute-Mauricie. Plusieurs lèvent la main et donnent la bonne réponse. «Oui, c'est un stéthoscope et ça sert à écouter les pulsations cardiaques. Mais on l'utilise aussi pour écouter les poumons et le système digestif», ajoute le conférencier, coordonnateur de la santé des Premières Nations à l'Université de Montréal.

Dans cette communauté isolée de 2 000 habitants, où sévissent des problèmes sociaux, telles la violence familiale et la toxicomanie, le médecin innu a choisi de parler d'espoir. «Je suis ici pour vous encourager à croire en vos rêves», lance-t-il aux enfants rassemblés autour de lui dans le gymnase de l'école.

«Les jeunes considèrent Stanley Vollant comme un modèle de réussite, explique la directrice de l'école Niska, Francine Gagnon-Awashish. Des médecins autochtones, il n'y en a pas beaucoup.»

En effet, le Dr Vollant confirme que les quatre places réservées chaque année depuis 2008 dans les facultés de médecine québécoises aux candidats autochtones ne sont pas occupées. «Cette année, il n'y a que deux personnes qui ont été acceptées dans le cadre de ce programme», déplore-t-il. Il n'y aurait actuellement qu'une dizaine de médecins autochtones dans tout le Canada et seulement un autre chirurgien.

«Vous ne pouvez pas imaginer l'effet que votre visite pourra avoir sur les jeunes autochtones qui préparent cette rencontre depuis plusieurs jours», avait dit au micro le Dr Stanley Vollant, conseiller en santé autochtone à la Faculté de médecine de l'Université de Montréal, aux 20 étudiants en médecine qui s'étaient déplacés à l'occasion d'une autre mini école de santé à l'école primaire Seskitin, de Wemotaci, à l'automne 2012.

L'étudiante Catherine Richer, responsable du groupe d'intérêt en santé autochtone, explique que le but de la visite n'est pas d'obtenir des résultats à court terme, mais de semer le germe de la réussite. «On vient montrer aux jeunes nos instruments médicaux et un squelette en plastique pour qu'ils les manipulent quelques instants. Le tout se passe dans un contexte le plus ludique possible. On espère que ça leur donnera envie de croire en leurs rêves», indique-t-elle.

Les 158 enfants de l'école Seskitin ont de bonnes chances, selon le directeur, Gnandi Nabine, de se rendre au secondaire. Mais c'est à ce moment-là que se produit la débâcle. Seulement trois élèves ont terminé leurs études secondaires l'an dernier et on espère en «diplômer» sept cette année. Le village compte 1 400 habitants. «Le Dr Vollant est un modèle pour eux, car il incarne la réussite», mentionne la future clinicienne.

Le premier autochtone du Québec à avoir obtenu un diplôme de chirurgien leur fait une forte impression. Grâce à lui, les jeunes autochtones apprivoisent quelques outils du mystérieux monde de la médecine. L'Innu a entrepris ces mini écoles de santé après avoir pris connaissance d'un programme similaire à l'Université d'Ottawa au début des années 1990. Pour attirer plus de candidats francophones dans l'arrière-pays ontarien, les étudiants allaient présenter leur métier dans les écoles primaires et secondaires des communautés francophones. Le système a contribué à hausser le nombre de médecins franco-ontariens. «Je me suis dit que ce modèle pourrait s'appliquer aux communautés autochtones», précise le Dr Vollant, qui a remporté en 2012 le prix Médecine, culture et société de la Faculté de médecine de l'Université de Montréal.

C'est déjà la cinquième mini école de santé du Dr Vollant et de ses émissaires depuis deux ans. Le Dr Patrick Houle, directeur de l'enseignement et de la recherche au Centre de la santé et des services sociaux de l'Énergie, à Shawinigan, qui est du voyage, en profite pour tisser des liens avec le personnel du Centre de santé de Wemotaci. Devant un plat de ragoût d'orignal et de banique préparé par une cuisinière attikamek, on convient de mettre sur pied des programmes de stages pour les étudiants. «C'est important de s'occuper de la santé des autochtones parce qu'on a tendance à oublier qu'ils font pleinement partie de la population québécoise, fait remarquer le Dr Houle. On peut voir un médecin, ici, à peine une fois par mois. C'est nettement insuffisant, compte tenu des besoins.»

À Wemotaci, comme dans la plupart des réserves isolées, la population est touchée par le diabète et des problèmes de toxicomanie. De plus, le village a connu une vague de suicides au début des années 2000. Une des solutions, rappelle le Dr Houle, est de former des médecins autochtones. Non seulement les médecins autochtones sont encore trop rares dans la population, mais même les places qui leur sont destinées dans les facultés de médecine du Québec n'arrivent pas à être comblées.

En tout cas, le Dr Vollant est encore très ému lorsqu'il voit briller les yeux des enfants. La mini école de santé, qui donne vie à leurs rêves, est une «solution possible à la problématique autochtone», estime-t-il.

Avec cinq étudiants en médecine de l'Université de Sherbrooke, Sharon Hatcher a fait le voyage dans la réserve d'Obedjiwan pour accompagner le Dr Vollant. Après l'atelier permettant aux jeunes de manipuler des instruments médicaux et d'expérimenter des manœuvres comme la réanimation cardiorespiratoire sur des mannequins, on photographie les participants vêtus de la blouse blanche, stéthoscope au cou. «Mine de rien, ça leur montre qu'une carrière en médecine est possible pour eux aussi», signale Mme Hatcher.

Les quatre facultés de médecine québécoises offrant un programme de doctorat se sont unies pour contribuer au programme jedeviensmedecin.com, destiné aux jeunes autochtones. De plus, ce partenariat permet de nouer des liens entre les établissements et les Premières Nations. D'ailleurs, deux étudiantes viennent tout juste de terminer leur stage chez les Attikameks, après y avoir passé un peu plus de deux semaines. «Une des grandes qualités de Stanley Vollant est d'avoir un pied dans chaque monde et d'être aussi à l'aise dans l'un que dans l'autre», dit la D^{re} Hatcher.

En tout cas, à Obedjiwan, on attend le héros du jour depuis plusieurs mois. À l'école Niska, des affiches annonçant sa venue tapissent les murs. À la fin de son allocution, les enfants lui remettent des dessins qui les montrent tels qu'ils se voient dans leurs rêves : policiers, joueurs de hockey, intervenants sociaux... médecins.

Rien ne fait plus plaisir au Dr Vollant que d'accueillir le témoignage d'une personne qui lui dit qu'il a été son modèle depuis le jour de leur rencontre, il y a plusieurs années. Bien que de multiples facteurs interviennent dans le choix d'une carrière, le déclic d'une rencontre marquante a parfois un effet de levier sur l'ensemble de la vie professionnelle.

Emily Beaudoin, une jeune Anishinabe de Kitigan Zibi, affirme qu'il a eu cet effet sur elle alors qu'il supervisait ses travaux à l'Université d'Ottawa. La pédiatre Raven Dumont, de la même communauté, se souvient bien de sa rencontre avec le Dr Vollant, dans une école de la réserve outaouaise. C'était durant la tournée du médecin qui venait de recevoir la distinction de Personnalité modèle autochtone du Canada.

D'autres témoignages lui parviennent à l'occasion. Le petit Maxime, rencontré dans une réserve de la Côte-Nord, lui a dit qu'il se donnait 10 ans pour le rejoindre dans la salle d'opération. Aujourd'hui âgé de 22 ans, il a renoncé à la médecine, mais sans regret puisqu'il vient d'entamer des études universitaires en administration.

En 1996, le conférencier avait parlé devant une classe d'Inuits à Schefferville et un des enfants présents dans la salle a retenu ses conseils. Il est devenu avocat spécialisé dans le droit territorial, diplômé de l'Université McGill. «Thank you», lui a-t-il dit en le rencontrant récemment.

Stanley Vollant en compagnie de son fils Xavier.
Photo : Yan Doublet, archives *Le Devoir*

Stanley Vollant échangeant avec les élèves de l'école de Wemotaci, en février 2012.

Mon identité

«Bâtard!»

Biologiquement, Stanley Vollant a autant de sang «blanc» que de sang «autochtone» dans les veines, car son père est un Québécois de souche et sa mère une Innue. Mais comme il a grandi dans une famille amérindienne, son identité n'a jamais suscité la moindre ambiguïté. «La pureté du sang, ça n'existe pas. Nous sommes tous métissés. Et l'origine biologique, c'est une valeur négligeable comparativement à l'appartenance culturelle. Pour moi, il ne fait aucun doute que c'est notre famille et notre milieu immédiat qui façonnent notre personnalité. Bien plus que nos gènes. J'ai toujours su de quel côté je me situais.»

À l'âge de cinq ans, il est tout de même blessé par les paroles d'écoliers qui le traitent de «bâtard» dans le village. Les jeunes n'ignorent pas que son père biologique n'est pas un des leurs; cela fait de lui un métissé, un impur. Cette insulte suscite chez lui l'incompréhension, car l'enfant ne fait aucune distinction entre autochtones et non-autochtones. «C'est assez tard dans mon enfance que j'ai réalisé qu'il y avait un monde différent du nôtre», dit-il.

Lorsqu'il comprendra ce qu'on entend par «bâtard», il voudra répondre que ce sont les préjugés qui font de la double filiation un problème identitaire, voire une traîtrise à la race. «Je me suis dit que j'allais leur montrer ce qu'un bâtard pourrait réaliser. Ce sera ma réponse à leurs insultes.»

Il découvre les cultures lointaines, tant dans l'espace que dans le temps, via les bandes dessinées *Tintin*, *Spirou* et, surtout, *Alix le Gaulois*[16]. «Alix voyageait partout. À Rome, en Mésopotamie, en Afrique et en Asie Mineure. Je l'accompagnais dans mon imagination. Avec lui, je me suis intéressé aux Étrusques, à Babylone, à Carthage, à l'Égypte ancienne. Je me suis découvert un intérêt particulier pour la figure d'Hannibal.»

Considéré comme l'un des plus grands tacticiens militaires de l'histoire, Hannibal Barca (247-183 avant notre ère) est né à Carthage – la Tunisie actuelle. Il traverse à dos d'éléphant les Pyrénées et les Alpes (situées aujourd'hui en Espagne et en France) pour joindre l'Italie avec son armée. Ces faits d'armes éblouissent le jeune homme.

Mais c'est la lecture du roman *Ashini*, de Yves Thériault, qui marque le réveil identitaire du jeune homme. Il est alors élève de troisième secondaire à l'école Louis-Joliette et dévore ce roman dont la lecture est imposée par le professeur de français. «*Ashini*, résume-t-il, est l'histoire d'un chasseur innu qui se révolte contre le sort qu'on réserve à sa communauté. Cette histoire était très proche de moi. Ashini, c'était même le nom de ma rue, quand j'habitais chez mon grand-père.»

Cet éveil se manifeste par une véritable boulimie de lecture. De retour à la maison, son sac est toujours rempli de livres. La plupart sont des ouvrages d'histoire ou des romans. Il lit aussi des essais comme *Le passé, mon maître*, de Lionel Groulx, et se lance, dès l'âge de 16 ans, dans les laborieuses *Relations* des jésuites en Nouvelle-France, recommandées par son professeur d'histoire. «J'ai lu les *Relations* en étant bien conscient que les auteurs avaient des lunettes idéologiques qui leur faisaient voir la colonisation d'un autre œil qu'aujourd'hui. À leur point de vue, les missionnaires étaient remplis de bonnes intentions. Ils voulaient apporter

---

16. Jacques Martin, *Alix*, série de bandes dessinées, Casterman, à partir de 1948. Les aventures sont celles d'un Gaulois adopté par des Romains, proches de César. Il y aura 19 albums de la première série, reprise à partir de 1996 par l'auteur avec des collaborateurs pour neuf nouveaux épisodes.

la culture religieuse aux indigènes que nous étions. Cette culture était pour eux ce qu'il y avait de plus élevé dans la pensée humaine. Sur plusieurs aspects, ma lecture était passionnante. Cela m'a beaucoup aidé à comprendre ce qui s'est passé à la période du contact.»

Un peu comme quand on part en voyage avec des étrangers, Stanley parcourt le passé dans le même navire que les missionnaires. Les saints martyrs canadiens, torturés par les «sauvages», occupent une place importante dans les *Relations*. Il apprend aussi des détails sur des faits moins connus de l'histoire. Par exemple, la grande déportation des Hurons, en 1640.

Pour le garçon avide de découvertes qui veut tout voir et tout entendre, la lutte des «peaux rouges» dans les plaines de l'Ouest américain est un choc. Dès les débuts du cinéma américain de masse, le western est un genre prisé. «Je me rappelle des films de cowboys avec Gary Cooper, John Wayne et d'autres. Je les regardais avec passion, mais je ne comprenais pas pourquoi les gens avec des plumes se faisaient toujours tirer dessus. Ils avaient fière allure, mais finissaient assassinés par les tireurs. Je les trouvais malhabiles, maladroits et mal organisés. Je voulais être du côté des gagnants; je prenais pour les cowboys, bien sûr. Lorsque j'ai compris que les gens avec des plumes étaient ma gang, mon groupe ethnique, j'ai cessé de regarder des films de cowboys… Ça me dégoûtait.»

Les Indiens d'Amérique ont une histoire dramatique où la mort et les épidémies ont joué les premiers rôles. Le manichéisme appuyé des westerns hollywoodiens fait paraître Sioux, Apaches et autres Premières Nations continentales comme des hardes de sauvages sanguinaires dont l'existence se limite à entraver la route des colons, braves et sans reproches. Or, la naissance des États-Unis s'est faite grâce à la collaboration des indigènes, qui se sont très souvent montrés ouverts aux nouveaux arrivants… pour leur malheur. Les pionniers venus d'Europe ont pactisé avec les occupants et en ont profité pour s'approprier leurs terres. Ils leur ont laissé en échange leurs maladies mortelles. Ils signaient la première guerre bactériologique de l'histoire.

Les Amérindiens ne se sont jamais fermés aux autres cultures, fait remarquer Stanley Vollant. Ils iront jusqu'à adopter des Européens fascinés par les grands espaces et la liberté qui s'offraient à eux. Plusieurs colons ont délaissé leur culture d'origine pour vivre avec les nomades selon leurs us et coutumes. « Il y a eu des autochtones devenus Blancs, mais l'inverse a existé aussi », affirme-t-il.

Pourtant, durant ses années d'école primaire – une école de Blancs en pleine communauté innue, car il n'y avait pas assez de personnel pour tenir des classes – très peu de temps était consacré à l'histoire autochtone. « Nous étions complètement ignorés de l'histoire », relate-t-il.

Plusieurs coutumes et légendes de la culture traditionnelle des Premières Nations se sont perdues avec le temps. Peuples fiers vivant en symbiose fragile avec la nature, ils gagnent à être mieux connus par la communauté blanche, croit Stanley Vollant. Les choses ont-elles changé depuis 40 ans? « Pas vraiment, même s'il y a eu une amélioration certaine pour des questions comme l'occupation du territoire et les nations présentes au moment de la colonisation. Je dirais qu'il y a désormais une page sur 200 sur l'histoire amérindienne dans les manuels d'histoire approuvés par le ministère. Et les enseignants tiennent compte des Premières Nations lorsqu'ils évoquent la colonisation. Mais il y a place pour de l'amélioration[17]. »

---

17. Stanley est lui-même un acteur de ce changement puisqu'il est mentionné dans un manuel du programme d'enseignement de l'école primaire comme étant le premier autochtone du Québec diplômé en chirurgie.

L'histoire de la civilisation occidentale ne saurait être complète sans tenir compte de l'apport significatif des cultures autochtones traditionnelles. Les historiens Louis Tardivel, Denis Vaugeois et Louise Côté ont tenté de souligner ce que les sociétés amérindiennes ont transmis au monde moderne dans leur ouvrage *L'Indien généreux*, paru chez Boréal en 1992. «Le Nouveau Monde ce n'est pas l'Amérique, mais celui dans lequel nous vivons tous, celui qui a émergé de la rencontre, il y a maintenant cinq siècles, de deux univers qui jusque-là s'ignoraient l'un l'autre», dit le résumé de l'essai.

Le café, le chocolat, les tomates, les fèves et les haricots sont des aliments consommés sur tous les continents. Pourtant, ces denrées tirent leur origine des cultures amérindiennes, rappellent-ils. Il en est de même pour beaucoup d'éléments culturels qui semblent enracinés depuis toujours dans les cultures locales. Les premiers sports d'équipe, par exemple, ont été pratiqués par des tribus amérindiennes. On doit aux langues amérindiennes quelque 200 mots en français et autant en anglais.

La Révolution française aurait elle-même une origine amérindienne, selon les auteurs. En magnifiant la liberté pure du nomade voyageant sur le continent, ainsi que son organisation politique égalitaire, le «sauvage» aurait influencé le discours révolutionnaire de 1789. «Ce sont des hommes chez qui le Droit naturel se trouve dans toute sa perfection, écrit le Baron de Lahontant au sujet des Hurons qu'il a observés. La Nature ne connoît point de distinction, ni de prééminence dans la fabrique des individus d'une même espèce, aussi (sont-ils) tous égaux, et le titre de Chef ne signifie autre chose que celui qu'on juge le plus habile pour conseiller et pour agir.»

Bien qu'on ne puisse tracer directement un lien entre ces récits des 17e et 18e siècles et les actions menant à la Révolution française, il demeure qu'ils «célèbrent trois thèmes chers à ces idées : liberté, égalité et fraternité», comme l'a écrit le politologue Marc Chevrier dans le *Bulletin de l'histoire politique*[18].

Le choc d'Oka

Toute sa vie, Stanley Vollant aurait pu assumer sans heurts son métissage culturel en puisant ses inspirations, alternativement, d'une civilisation à l'autre. Professionnellement, il était un Indien dans un monde de Blancs et intellectuellement, il était perçu dans certaines circonstances comme un étranger parmi les Indiens. Mais cette harmonie a pris fin entre le 11 juillet et le 26 septembre 1990, alors que se déroule un incident historique à Oka, en périphérie de Montréal. Cet événement changera brusquement ses repères identitaires et le positionnera plus que jamais du côté indien.

Qu'est-ce que la crise d'Oka? Une succession d'événements malheureux. D'abord, dès les premiers mois de l'année 1990, les Mohawks sont outrés de voir un permis d'agrandissement d'un terrain de golf être autorisé à un investisseur blanc par le conseil municipal. Celui-ci permet au promoteur de construire un immeuble résidentiel sur le terrain adjacent. Pour les autochtones qui se sont vu refuser le droit d'acheter ce même terrain par leur «tuteur légal» (c'est ainsi qu'on désigne le lien entre l'État et les groupes autochtones), le gouvernement fédéral canadien, c'est une injustice manifeste doublée d'une humiliation collective.

Furieux, des militants de la nation mohawk décident de bloquer une route au printemps 1990 pour affirmer leur désapprobation. Ils prônent également diverses mesures de désobéissance civile. Les manifestations prennent de l'ampleur dans la pinède, site prévu de l'immeuble, alors qu'une confrontation semble inévitable entre la faction

---

18. Marc Chevrier, «La République néo-Française», *Bulletin d'histoire politique*, vol. 17, n° 3, p. 29.

musclée des Mohawks, baptisés *Warriors* (guerriers) et les forces policières. On verra des émissaires masqués négocier avec le ministre du gouvernement provincial responsable des Affaires autochtones, John Caccia, déterminé à éviter tout dérapage. «Je n'enverrai personne jouer aux cowboys pour une question de terrain de golf», lance-t-il à la presse. Suivant la voie diplomatique, le ministre tentera d'obtenir de son homologue fédéral des Affaires indiennes, Tom Siddons, le rachat des terres en litige. En vain. Les tensions s'amplifient et les plus modérés – dont la chef, Ellen Gabriel – perdront leurs appuis au profit des plus belliqueux. À la crise frappant la communauté de Kanesatake s'ajoute une mésentente sur la gestion des entreprises de bingo dans une autre communauté mohawk, sise près de Châteauguay, Akwesasne. De plus, le pont Mercier, utilisé quotidiennement par 70 000 automobilistes, est bloqué par des Warriors.

Le 9 juillet, le maire d'Oka, Jean Ouellette, demande l'intervention de la Sûreté du Québec. Celle-ci s'exécute, deux jours plus tard, dès 5 h du matin. En plus d'une centaine d'agents armés qui font irruption dans la pinède, soutenus par des policiers antiémeutes, des gaz lacrymogènes sont utilisés pour disperser les manifestants à Akwesasne. Une grue démolit la barricade de la route 344 vers 8 h 30 et un échange de coups de feu retentit. Un policier, le caporal Marcel Lemay, est atteint mortellement malgré son gilet pare-balle. Le coroner conclura dans son rapport que cette balle fatale a été tirée par un manifestant.

Dans la confusion entourant la fusillade, les Warriors s'emparent de la grue et consolident leur barricade, y ajoutant même des voitures de police et des arbres. Les forces de l'ordre les encerclent, mais attendent les directives pour une seconde attaque. Celle-ci ne viendra pas et un long siège suivra, jusqu'à la reddition des Warriors, le 26 septembre. Entre-temps, le premier ministre du Québec, Robert Bourassa, invoque la Loi des mesures de guerre pour autoriser l'armée canadienne à prendre le relais de la Sûreté du Québec, à partir du 17 août.

Cet été-là, Stanley Vollant entame sa deuxième année comme résident à l'Hôtel-Dieu de Montréal. «Je suis le témoin impuissant d'un racisme généralisé, relate le médecin. Jusque-là, je croyais que le racisme était l'affaire de gens peu éduqués, pauvres. J'ai constaté durant la crise d'Oka que je m'étais trompé. En réalité, le racisme existe dans toutes les classes de la société. Les médecins qui m'entouraient, les infirmières, les techniciens que je côtoyais tous les jours étaient extrêmement durs à l'endroit des autochtones.»

En associant leur collègue aux Mohawks, le personnel de l'Hôtel-Dieu ne se doutait pas que le médecin innu était profondément blessé par leurs paroles. «Moi, je ne m'étais jamais vraiment intéressé aux Warriors jusque-là. Je savais que certains étaient engagés dans le trafic de la drogue, dans le commerce de cigarette, etc. Tout d'un coup, je voyais s'élever deux groupes opposés l'un à l'autre. Blancs contre autochtones. J'ai dû choisir un camp.»

Quand il voit des gens – citoyens ordinaires de la région – lancer des pierres aux familles autochtones qui tentent de rentrer chez elles après l'évacuation, il sent sa colère grimper encore d'un cran. «Il y a dans les autos des centaines de personnes ignorant tout des revendications mohawks et d'autres s'y opposant carrément. Il y a des femmes, des enfants, des malades. Ce n'était pas à eux qu'il fallait lancer des cailloux.»

Jusque-là peu engagé dans les manifestations, Stanley verra son sentiment s'exacerber par la polarisation des débats. «J'ai senti mon identité attaquée et je me suis radicalisé. J'ai pressenti que l'armée interviendrait et transformerait cette confrontation en bain de sang. Je me suis promis que je ne laisserais pas faire ça.»

Encore aujourd'hui, l'évocation de ces événements fait naître chez lui un vif sentiment de révolte. C'est un homme engagé qui veut franchir les barricades et qui se portera à la disponibilité des maquisards. Il pense s'en prendre aux pylônes d'Hydro-Québec. Bref, il veut prendre position contre le pouvoir répressif. «Je me suis dit : j'aime mieux mourir sur les barricades que vivre en lâche! S'il le faut, je vais me sacrifier pour ma nation.»

Plus raisonnablement, il imagine une stratégie pour créer un trafic clandestin de médicaments qui passe bien près de se réaliser. «Je trouvais intolérable l'idée qu'il y avait des gens malades derrière les barricades. J'ai élaboré un plan d'intervention que je n'ai jamais appliqué, car la crise s'est terminée. J'étais à un cheveu de la désobéissance civile.»

Le bain de sang craint par Stanley est évité. Il demeure convaincu qu'en cas de dérapage, l'État n'aurait plus trouvé grâce à ses yeux. «Je n'aurais pas voulu vivre plus longtemps dans ce pays hostile. J'ai pensé déménager quelque part en Europe et demander l'exil comme réfugié politique. Je ne sais pas si j'aurais eu gain de cause, mais cela m'aurait permis de fuir le pays et les gens qui avaient tiré sur les miens. Mes frères.»

Cet épisode aura permis à Stanley de mieux comprendre (sans les excuser) les gestes radicaux qui sont posés par certains extrémistes dans les pays en guerre civile. «Le Palestinien muni d'une ceinture de bombes pour se faire sauter en public est un homme qui, comme moi, a dû choisir son camp. Il y a des gens qui se sacrifient par altruisme quand ils voient leur communauté disparaître. Je n'encourage pas ces gestes, mais je peux les comprendre depuis l'été 1990. Il y a une telle tension lors d'une crise comme celle-là qu'on perd notre libre arbitre. Emportés par une passion collective, on n'est pas garants de nos actes»

De nature pacifique, il a été emporté par son instinct de révolte quand des fusils se sont pointés sur des autochtones. L'expérience d'Oka a provoqué en lui un sérieux choc identitaire. «Aujourd'hui, je suis redevenu pacifiste. Ma violence est retombée comme les cendres d'un volcan. Mais je crois que de nombreux autochtones ont gardé une grande blessure après cette crise.»

L'approche commune

La crise d'Oka a été provoquée par un conflit territorial. Ce n'est pas un hasard. Pour la plupart des autochtones actuels, l'occupation du territoire est une source de frustrations dont l'origine remonte à la colonisation. À l'arrivée des Européens, les nomades étaient étrangers au concept de propriété privée. Voilà pourquoi ils ne craignaient pas les premiers colons. En appliquant le principe de l'occupant propriétaire, ceux-ci ont progressivement réduit l'espace «légal» des Premières Nations. Aujourd'hui retranchées dans d'étroites superficies autogérées (les réserves), elles ont un droit d'accès sur les forêts et les eaux environnantes, mais ne touchent en général aucune redevance sur l'exploitation commerciale de celles-ci. Pêcher et chasser sur les terres publiques est permis aux Indiens, mais c'est un bien mince privilège accordé à des peuples qui occupaient le territoire depuis des siècles.

Pour remédier à la situation, les communautés innues ont entamé avec les gouvernements, il y a trois décennies, une négociation qui a pris la forme d'une «Approche commune» où les droits ancestraux sur les terres devaient être pris en compte par les autorités. «Sur la Côte-Nord et au Saguenay–Lac-Saint-Jean, les nations québécoise et innue ont habité un même territoire pendant 400 ans sans qu'aucun traité ne soit convenu, dit un document du Bureau d'audiences publiques sur l'environnement intitulé *Québécois et Innus sur un même territoire; de voisins à partenaires*[19]. Cette situation ne favorise pas l'établissement de relations harmonieuses entre les communautés. La négociation entre les gouvernements du Québec et du Canada et les Innus a débuté en 1980. Quelles sont les preuves historiques qui appuient les revendications des Innus? De nombreuses études anthropologiques et historiques ont été réalisées par les Innus au début des années 1980. Elles ont été présentées au gouvernement fédéral qui, sur cette base et en sa qualité de fiduciaire, a accepté la revendication territoriale des Innus. C'est ainsi qu'a débuté la négociation territoriale.»

Rendue publique en 2000, l'Approche commune résume, en 20 pages, une entente intervenue entre les conseils innus de Mashteuiatsh, Essipit et Pessamit (auxquels s'est joint le conseil de Nutashkuan) établissant les paramètres d'une entente finale qu'on souhaitait voir s'intégrer dans la Constitution canadienne. Selon cette entente, exploitation forestière et minière, utilisation des forêts à des fins récréatives (notamment aux monts Groulx sur la Côte-Nord et à la Pointe-Taillon au Lac-Saint-Jean), chasse, pêche, villégiature et autres éléments territoriaux seraient gérés en partie par les gouvernements innus. Il y aurait partage des responsabilités et partage des bénéfices entre Innus et Québécois.

En 2000, Stanley Vollant participe aux travaux de la commission parlementaire chargée d'étudier cette question. «Les chefs de bande m'ont approché pour présenter l'aspect médical de cette nouvelle entente que nous souhaitions engager avec les gouvernements. Je suis allé présenter mon mémoire à l'Assemblée nationale. Malheureusement, l'entente finale n'a jamais été entérinée.»

---

19. BAPE (non signé et non daté), *Québécois et Innus sur un même territoire; de voisins à partenaires*, Projet d'aménagement hydroélectrique à Angliers Abitibi-Témiscamingue 6211-03-065. http://www.bape.gouv.qc.ca/sections/mandats/angliers/documents/DB13.pdf.

Le mémoire défendu par le médecin porte sur les liens entre les revendications territoriales et la santé des Premières Nations. Sa recherche l'amène à constater qu'une meilleure emprise sur la terre assurerait aux autochtones une meilleure santé. L'idée paraît-elle exagérée? Pas pour lui. Il cite des chercheurs de l'Organisation mondiale de la santé (OMS) qui ont étudié cette question dans plusieurs régions du globe. Parmi les déterminants sociaux de la santé figure le sentiment de possession de la terre qu'on foule. Les peuples dépossédés de leurs terres ou en constante errance sont donc, globalement, moins en santé que les autres. «Les enfants nés dans des familles autochtones vivent souvent dans des régions reculées où les pouvoirs publics n'investissent pas dans les services sociaux de base. Il en résulte que les enfants et les jeunes autochtones n'ont que peu ou pas du tout accès à des soins de santé, à une éducation de qualité, à la justice et à la participation. Ils risquent particulièrement de ne pas être enregistrés à la naissance et d'être privés d'identité», peut-on lire dans un document de l'OMS sur la santé des autochtones.

«Les populations autochtones restent en marge de la société : elles sont plus pauvres, moins bien éduquées, vivent moins longtemps, sont beaucoup plus susceptibles de se suicider et leur état de santé est généralement plus mauvais que celui du reste de la population», explique-t-on plus loin. On y ajoute que les communautés inuites du Canada sont dévastées par le suicide. Les taux y sont 11 fois supérieurs à la moyenne nationale et constituent l'un des plus hauts taux au monde.

L'OMS recommande par ailleurs la formation d'un plus grand nombre de médecins issus des communautés autochtones. Au Canada, cela correspondrait à plus de 5 000 médecins. On est encore loin de ce nombre.

En face des élus et des délégués gouvernementaux, Stanley Vollant a une pensée pour son grand-père, mort depuis huit ans, qui a reçu une boîte de munitions pour compenser la perte d'accès à sa ressource de subsistance. Il pense aussi aux tombeaux de ses ancêtres, dans le fond d'un réservoir ayant servi à alimenter les centrales hydroélectriques. Lors de la mise en eau, les constructeurs de barrages ne s'étaient pas donné la peine de déplacer les sépultures.

Actuellement, quelque 200 revendications territoriales entre les Premières Nations et les gouvernements fédéral et provinciaux sont encore en litige. Il s'en règle une ou deux par an. « On en a donc encore pour un siècle, au moins », lance le médecin dans un soupir.

Il rappelle que la cohabitation, bénéfique pour les colons, a été jalonnée d'échecs pour les autochtones. La colonisation elle-même s'est faite sur la confiscation des terres publiques. Puis, la Loi des Indiens de 1957 a fait des peuples autochtones des citoyens de seconde zone qui, pour avoir droit à la citoyenneté canadienne pleine et entière, devaient s'émanciper, renonçant à leur identité culturelle. Il y a eu les contaminations aux virus mortels venus des vieux pays, contre lesquels les habitants d'ici n'avaient pas développé de résistance immunitaire, et « l'ethnocide » provoqué par les politiques assimilatrices.

Du mouvement Idle No More, né en 2012 de l'action de quatre militantes de l'Ouest canadien et médiatisé par la grève de la faim de la chef du village d'Attawapiskat, Theresa Spence, Stanley Vollant fait remarquer que ce sont les mêmes enjeux à la clé : « J'ai perçu dans ce mouvement national la même frustration que les représentants autochtones subissent depuis quatre siècles. On est terriblement déçus de voir nos revendications légitimes être repoussées aux calendes grecques. »

Il y a pourtant de bons exemples d'initiatives communes qui ont donné des résultats positifs d'un côté comme de l'autre. La paix des braves, signée par les Cris de la Baie

James avec le gouvernement de Bernard Landry, en 2002, résulte d'une négociation de nation à nation. En échange de la renonciation à leurs revendications territoriales, les Cris ont obtenu de Québec le versement d'une somme totalisant 4 milliards de dollars en 50 ans. Une décennie plus tard, les retombées de cette entente sont nombreuses et concrètes : un niveau de vie en croissance, des entreprises créées et gérées par des Cris, un dynamisme économique sans précédent... «La paix des braves et l'entente conclue entre Ottawa et les Cris d'Eeyou Istchee en 2008 ont transformé les Cris du Québec en nation prospère. Les 16 000 autochtones de la Baie-James ont maintenant un revenu personnel disponible parmi les plus élevés du Québec», signale la journaliste Valérie Simard, de *La Presse*[20].

Pour Stanley Vollant, la communauté crie a beaucoup bénéficié des retombées de cette entente et cela aurait dû inspirer d'autres expériences similaires.

Souvenirs de pensionnat

Originaire de la communauté innue de Mingan, Agathe Napess a fréquenté le pensionnat autochtone de Maliotenam, sur la Côte-Nord, pendant plusieurs années et cette expérience s'est avérée non seulement traumatisante pour elle, mais dramatique pour sa jeune sœur, Marietta, qui est morte au terme d'un coup de froid. «Nous ne l'avons su que plusieurs mois après. Les autorités nous l'avaient caché», a-t-elle raconté sous le *shaputuan* au deuxième jour de la Semaine de rencontres autochtones, le 9 avril 2013. Cette Semaine est une initiative de Stanley Vollant et elle a attiré des centaines de personnes dans un local de classe un peu spécial, fait de toile tendue sur des poteaux de sapin, fixée dans un terrain gazonné au-dessus du garage étagé du campus de l'Université de Montréal.

---

20. Valérie Simard, «La paix des braves : un "exemple" pour Ottawa, croit Landry», *La Presse*, 14 janvier 2013.

Traduits par sa nièce Rita Mestokosho, les propos de Mme Napess sont entrecoupés de sanglots. «C'est la première fois que ma tante relate publiquement ses souvenirs du pensionnat», mentionne Mme Mestokosho, également ébranlée.

Comme l'avait rappelé la veille, au même endroit, l'Abénaquise Nicole O'Bomsawin, anthropologue originaire d'Odanak, les pensionnats autochtones ont profondément bouleversé les membres des Premières Nations. Durant plus d'un siècle, ces écoles ont séquestré les enfants autochtones arrachés à leurs familles, parfois *manu militari* par des agents de la Gendarmerie royale du Canada. Résultant d'une politique d'assimilation avouée, le système consistait à «tuer l'Indien» en eux pour en faire des citoyens «émancipés». Dans ces établissements, le seul fait de parler leur langue maternelle pouvait être sévèrement puni.

«Dès mon premier jour au pensionnat, on m'a coupé les cheveux et aspergé d'insecticide contre les poux. Avant de me donner un uniforme, on a pris mes vêtements pour les déposer dans une valise jusqu'au printemps suivant, explique Julie Mollen. Je ne peux pas décrire mon émotion lorsque j'ai retrouvé ma famille après cette première année. Je peux dire en tout cas que ma vie a basculé.»

Plus de 40 personnes ont pris place sous la tente chauffée au bois, d'où se dégage une odeur de sapinage et de banique (pain sans levure faisant partie de l'alimentation traditionnelle autochtone). Parmi elles, une trentaine d'auditeurs sont inscrits au cours Système politique québécois, du Département de science politique. Le plan de cours prévoyait ce jour-là un exposé sur les relations avec les autochtones, et les étudiants ont été invités à se diriger vers le *shaputuan*. Le chargé de cours, Martin Normand, affirme que le témoignage des femmes venues de la Côte-Nord revêt un caractère authentique inestimable. «C'était une présentation bouleversante. Pour mes étudiants, c'était beaucoup mieux que n'importe quel exposé magistral», déclare-t-il.

Quelques semaines après cette rencontre, s'arrête à Montréal la Commission de vérité et de réconciliation du Canada, qui a tenu des audiences d'un océan à l'autre pour recueillir les commentaires d'anciens pensionnaires. L'ancien premier ministre du Canada, Paul Martin, a tenu à prononcer une allocution durant laquelle il a sévèrement critiqué le gouvernement canadien. Pour lui, c'est un «génocide culturel» qui a été pratiqué durant des décennies via ce réseau scolaire. «Lorsqu'on construisait ces écoles, on creusait des cimetières à côté parce que de nombreux jeunes mouraient, dit-il. C'était connu.» L'objectif des gouvernements était l'assimilation pure et simple.

Au Canada, quelque 3 000 enfants sont morts dans les pensionnats ou autour de ceux-ci. Cette hécatombe a été mesurée par la chercheuse Alex Maass, à la demande de la Commission de vérité et réconciliation. En étudiant les registres de décès de 1880 à 1920, elle a découvert que de 25 % à 30 % des pensionnaires sont morts durant leur séjour. «C'est beaucoup plus que le taux de mortalité de l'ensemble de la population. Et cela, le gouvernement fédéral le savait, parce qu'il avait les mêmes registres que nous», dit-elle à la journaliste Caroline Montpetit, du *Devoir*. Son projet de recherche, intitulé «Missing Children Project», est en cours et continue de recueillir des données.

Certains enfants sont morts de froid en voulant s'échapper de ces goulags. Au Québec, où on a tenu six pensionnats entre 1934 et 1990, on estime à 6 000 les survivants de ces écoles en 2013.

Dès les débuts de la colonisation, les Français avaient jeté les bases du réseau des pensionnats indiens, mais sans succès, dit un document de la Commission intitulé *Ils sont venus pour les enfants : le Canada, les peuples autochtones et les pensionnats*[21]. En 1883, le premier ministre canadien, John A. Macdonald, fait adopter une loi créant les premiers pensionnats dans l'Ouest, un modèle qui se multipliera dans les autres provinces. Macdonald déclare alors que les écoles situées dans les réserves ne sont pas appropriées, car elles ne soustraient pas les jeunes Indiens de l'influence de leur culture. «Bien qu'il puisse apprendre à lire et à écrire, ses habitudes, sa formation et sa façon de penser sont indiennes. Il est simplement un sauvage qui sait lire et écrire.»

Chargé d'appliquer cette politique, le négociateur du gouvernement, Alexander Morris, rapporte que «la reine souhaite que ses enfants rouges deviennent aussi intelligents que l'homme blanc» et assure qu'elle paiera le salaire des maîtres d'école.

Au 19e siècle et durant une bonne partie du 20e, les Indiens sont une sous-catégorie de citoyens et doivent «s'émanciper» pour avoir les mêmes droits que les Blancs. Les pensionnats sont un maillon stratégique de cette politique assimilatrice, mais il deviendra évident, dès 1940, qu'ils constituent un échec sur toute la ligne. Tout juste 3% des élèves fréquentant ces pensionnats dépassent la sixième année, contre 33% des élèves canadiens. Si une minorité d'enfants s'en tirent plutôt bien et récoltent une formation convenable dans ces écoles, la plupart en souffrent et en sortent meurtris. On y mange affreusement mal, les bâtiments sont des nids d'infection pour des maladies graves (rougeole, influenza, dysenterie, méningite, tuberculose). Dans ces établissements où les élèves sont numérotés – on s'adresse souvent à eux par leur numéro plutôt que par leur prénom –, les objectifs pédagogiques seront abandonnés au profit de certains besoins moins nobles. Ainsi, dans des écoles du Manitoba, on rapporte des cas d'exploitation abusive des

---

21. Murray Sinclair, Wilton Littlechild et Marie Wilson, *Ils sont venus pour les enfants: le Canada, les peuples autochtones et les pensionnats*, Commission de vérité et réconciliation du Canada, 2012, p. 5.

enfants transformés en «bêtes de somme». Sous prétexte d'offrir une formation professionnelle aux plus vieux, ils étaient dégagés de l'enseignement pour consacrer la moitié de leur journée aux travaux domestiques. «Souvent, les élèves n'apprenaient aucun métier, mais exécutaient plutôt les mêmes tâches laborieuses de façon répétitive», dit le document de la Commission. En Saskatchewan, certains évoquent même l'esclavagisme.

Comment un tel système a-t-il pu perdurer? Une explication est proposée: «Les pensionnats indiens n'ont pas été conçus sur le modèle des internats privés établis pour les enfants de l'élite de la jeune nation, mais bien sur celui des maisons de correction et des prisons destinées aux enfants des familles urbaines pauvres. Lorsqu'il devint apparent, au début du 20ᵉ siècle, que ces établissements étaient inefficaces, ils furent dans une large mesure abandonnés, mais les pensionnats indiens restèrent ouverts[22].»

Pour mettre la main sur les territoires autochtones, dit le document officiel, «le gouvernement canadien a conclu des traités qu'il n'a pas respectés, pris possession de territoires sans y être autorisé par des traités, et unilatéralement adopté des lois régissant pratiquement tous les aspects de la vie autochtone. La vie d'aucun autre groupe de Canadiens n'était réglementée à ce point (...) Les pensionnats ont constitué une pièce maîtresse de la stratégie de colonisation des peuples autochtones au Canada[23].»

Les auteurs ajoutent que ces pensionnats constituent une page sombre de notre passé et sont une «partie intégrante de la dynamique dans laquelle s'est inscrite la construction du Canada». Ils notent qu'«il est pénible de découvrir qu'en tant que nation, nous n'avons pas toujours été à la hauteur

---

22. *Op. cit.*, p. 13.
23. *Op. cit.*, p. 2.

de nos idéaux ni de l'image que nous tentons de projeter sur la scène internationale[24]».

Le Québec est la province où cette question a été le moins discutée au pays. Pourquoi? Peut-être en partie parce que les victimes eux-mêmes n'en ont guère parlé. Stanley Vollant l'explique par l'emprise morale qu'exerçait l'Église catholique sur l'éducation et l'histoire du Québec. «La Révolution tranquille, les Indiens l'ont vécue avec vingt ou trente ans de retard sur les Québécois. Ce que l'Église ne voulait pas divulguer, on n'en parlait pas.»

Stanley Vollant connaît des dizaines de survivants de ces pensionnats et lui-même a connu une brève expérience de pensionnaire. «C'était à Amos, à l'âge de 12 ans. À la différence des autres enfants, j'ai pu choisir de le quitter. Après une semaine, j'ai dit à ma mère que je voulais revenir à Pessamit.»

Les circonstances de sa fréquentation d'un pensionnat sont un peu particulières. En vertu de ses talents de sportif, on l'avait invité à un camp d'entraînement de l'équipe de hockey innue, qui se tenait au pensionnat d'Abitibi. Pour être sélectionné dans l'équipe, il devait lui-même devenir pensionnaire. «J'ai le souvenir très clair du gruau gélatineux qu'on nous servait le matin, avec des rôties froides. Mais ce que j'ai le mieux perçu, dès mon arrivée, c'est la violence dans tous les recoins de cette école. Tout le monde se battait. Pour passer une journée sans blessure, il fallait se trouver un protecteur. Malgré tout, j'étais couvert d'ecchymoses au moment d'aller au lit. Après une semaine, c'en était fini. J'en avais assez vu. Je voulais retourner à Pessamit. Au diable le hockey!»

Pessamit n'avait pas échappé à la politique des pensionnats autochtones, mais on avait mis fin à l'aventure dès 1967. À son entrée à l'école primaire, le village comptait

---

24. *Op. cit.*, p. 3.

un bâtiment tenu par des religieux et des laïcs. Quelques-unes de ses tantes fréquentaient encore le pensionnat de La Pocatière, que sa mère avait aussi fréquenté. Il les avait vues revenir de là teintes en blondes. «C'était bizarre de les voir ainsi. Comme si la politique d'assimilation avait en partie fonctionné. Elle avait fait d'elles des Indiennes blanchies. Elles avaient adopté un discours allant dans ce sens, décrivant leur culture avec des termes méprisants.»

La fermeture des pensionnats n'a pas mis fin à cette attitude ethnocidaire, fait remarquer Stanley Vollant. À Oujé-Bougoumou, où des pentecôtistes ont pris possession du conseil de bande, on a fait interdire des coutumes ancestrales comme la tente à sudation et la fumigation aux herbes sacrées. «Pour moi, c'est l'équivalent d'une régression culturelle, déplore-t-il. Les autochtones ne doivent pas avoir honte de leurs rituels et de leurs traditions, même s'ils sont totalement entrés dans la modernité.»

La santé autochtone se détériore

À titre de médecin expert, Stanley Vollant siège à la Commission de la santé et des services sociaux des Premières Nations du Québec et du Labrador qui a pour mandat de «planifier et livrer des programmes de santé et de services sociaux culturellement adaptés et préventifs». En 2013, elle a rendu publique une enquête sur la santé des Premières Nations[25].

Non seulement celle-ci ne s'améliore pas, mais elle se détériore, dit en substance cette enquête qui rapporte des questionnaires individualisés auprès de 2 700 répondants. Le diabète est en hausse et touche 21,5 % des adultes, principalement des hommes. «Depuis 2002, la prévalence du

25. Collectif, «Enquête régionale sur la santé des Premières Nations du Québec – 2008», Commission de la Santé et des Services sociaux des Premières Nations du Québec et du Labrador, *Faits saillants*, 7 février 2013.

diabète de type 2 a fait un bond de 6,8% chez les hommes, passant de 12,5% en 2002 à 19,3% en 2008.»

Seulement 21,7% des adultes ont un poids normal. Le tiers (33%) ont un excès de poids et 40,6% souffrent d'obésité. Plus de la moitié des adultes de 18 à 34 ans consomment à la fois de l'alcool et des drogues (51,6%). La cocaïne, notamment, a fait une entrée remarquée dans les communautés entre les deux enquêtes. La majorité des adultes (84,3%) considèrent l'alcoolisme et la toxicomanie comme étant la principale difficulté à laquelle leur communauté doit faire face, suivie par les possibilités limitées d'emploi (53,8%) et le logement (53,6%).

Le fait de vieillir, chez les autochtones, signifie multiplier les risques de recevoir un diagnostic de maladie chronique. Chez les 35 à 54 ans, la prévalence de l'hypertension est de 6,4 fois supérieure à ce qu'elle est chez les 18 à 34 ans. Chez les 55 à 64 ans la prévalence de l'hypertension est multipliée par 10,6 fois, et de 12,5 fois chez les 65 ans et plus.

Huit personnes âgées de 65 ans et plus sur 10 (82,4%) n'ont pas de diplôme d'études secondaires. Moins de la moitié (45,2%) des adultes détiennent un emploi. Pas étonnant que plus de la moitié (53,6%) des adultes aient un revenu individuel annuel inférieur à 20 000 $.

Comme le dit un des chercheurs associés au projet, le taux de maladies chroniques (hypertension, maladies cardio-vasculaires, diabète) est «alarmant». Les «saines habitudes de vie» sont encouragées, mais passent peu dans la vie de tous les jours. Près d'un adolescent sur quatre (23,6%) ne met en pratique aucune approche pour maintenir sa santé: un régime sain, la pratique régulière d'activité physique ou sportive. Près de quatre adultes sur dix (37,5%) consomment des boissons gazeuses tous les jours et la moitié, des repas minutes plusieurs fois par semaine, dit l'enquête. De plus, un adulte sur quatre (24,8%) vit de l'insécurité alimentaire modérée ou grave; c'est trois fois la proportion de la population québécoise. «Un deux-litres de Pepsi coûte beaucoup moins cher qu'un deux-litres de lait. Sans parler du prix des fruits et des légumes, reprend le chercheur. C'est assez dramatique.»

La toxicomanie est endémique dans des réserves dont certaines prétendent être «sèches», soit sans alcool en vente libre: le tiers (35,0%) des jeunes de 12 à 14 ans affirment avoir consommé de l'alcool dans l'année.

Chez les 12 à 14 ans, un jeune sur quatre (24,8%) a consommé de la drogue au cours de la dernière année; chez les 15 à 17 ans, c'est plus d'un jeune sur deux (54,8%). Un adolescent sur deux (51,3%) a consommé du cannabis et 11,6% de la cocaïne durant l'année précédant l'enquête. Quatre adolescents de 15 à 17 ans sur 10 qui consomment du cannabis (38,4%) en prennent chaque jour. Parmi ceux qui consomment de la cocaïne, près du quart (22,5%) en consomment sur une base hebdomadaire ou quotidienne.

Voilà un des secteurs où les choses ne s'améliorent pas. La cocaïne s'est dangereusement répandue au cours des dernières années dans les réserves.

Le désespoir est endémique. Vingt-six pour cent (26,4%) des adultes ont déjà pensé au suicide au cours de leur vie. Les 25 à 44 ans sont plus susceptibles que les autres tranches d'âge d'y avoir pensé au cours de leur vie.

Dieu et Gitche Manitou

Chez les autochtones du Québec et du Canada, la religion et la spiritualité occupent une place centrale. «Il y a très peu d'athées chez les autochtones; nous sommes des nations de foi», résume Stanley Vollant. Il a reçu les sacrements du baptême, de la première communion et de la confirmation. Il se mariera à l'église et fera baptiser ses trois enfants.

Dans sa famille d'origine, la pratique religieuse va de soi. On va à la messe non seulement tous les dimanches, mais tous les jours, sauf en cas de force majeure. Enfant, Stanley est un servant de messe dévoué qui participe aux activités de pastorale. Il est sacristain dès l'âge de 11 ans. C'est lui qui fait sonner les carillons.

Sa grand-mère est particulièrement pieuse et elle n'en attend pas moins de ses proches. Lorsque l'enfant refuse de l'accompagner à l'église, elle lui montre des images de l'enfer. On y voit des infidèles brûlant pour l'éternité, sous les yeux rouge sang du diable. «J'ai très peur de ces images. C'est une technique très efficace pour m'inciter à aller à la messe. Ma grand-mère avait des moyens incroyables pour se faire obéir.»

Le 15 août, c'est la fête traditionnelle de la fin de la pêche au saumon et du début des préparations pour la grande chasse de l'automne. Depuis toujours, on célèbre la convergence de ces activités de subsistance par des banquets et des cérémonies païennes. Mais durant l'enfance de Stanley, elles sont plutôt un hommage à la sainte patronne de leur église, Notre-Dame de l'Assomption. C'est qu'à leur arrivée dans le Nouveau Monde, les missionnaires ont transformé la fête en célébration religieuse. «Le village entier participe aux processions entre l'église et la croix du calvaire, soit une distance d'environ un kilomètre. On porte des banderoles, une immense statue de Marie et les fidèles se prosternent.»

Seule référence païenne, les chasseurs ne sont pas totalement exclus de cette procession puisqu'aux pauses pour la prière, ils tirent des salves de fusil dans les airs. La liesse collective du 15 août est particulièrement spectaculaire aux yeux de l'enfant.

La pratique religieuse suivra Stanley Vollant jusqu'à son entrée à l'université. Ses lectures sur les croisades du Moyen-Âge lui font voir l'histoire chrétienne sous un nouveau jour.

De plus, les positions de l'Église l'emmènent peu à peu à délaisser les lieux de culte. «À l'université, mon esprit critique s'affine et je commence à m'interroger sur le bien-fondé des condamnations de l'avortement et de la contraception par le pape. Je trouve inconcevable que le chef d'une religion supposément vouée au bien de l'humanité ferme les yeux sur les ravages du sida en Afrique. On est alors dans le pire de l'épidémie, à la fin des années 1980, et le pape continue de condamner l'usage du condom et de prôner l'abstinence. Ça m'apparaît absurde, inacceptable.»

La foi, malgré tout, ne quitte pas le médecin. «Je crois en Dieu et en Gitche Manitou. Pour moi, c'est la même entité avec des noms différents.»

D'origine anishinabe, donc algonquine, mais adoptée dans les 11 nations, la figure divine de Gitche Manitou (ou Gitche, Kije ou tout simplement Grand Manitou) est celle de l'Esprit des esprits, qui a créé le monde et qui donne et enlève la vie. À la différence des religions monothéistes d'Europe, celle-ci compte plusieurs incarnations. Certains le voient comme le protecteur des troupeaux de caribous alors que pour d'autres, il est présent dans les rêves des humains.

Si les catholiques n'hésitent pas à associer Dieu à une iconographie anthropomorphe – généralement un vieil homme barbu, grisonnant, confortablement installé sur un trône au-dessus des nuages – le dieu autochtone n'a pas de visage ni (le plus souvent) de corps. Manitou, dans le langage plus contemporain, est le grand esprit qui a créé le monde dès le big bang (une hypothèse qui n'est pas en opposition avec les croyances traditionnelles autochtones) et qui demeure aux commandes des grandes lois divines. «Manitou est un esprit qui peut prendre différentes formes. Parfois, il est le feu, l'air ou l'eau. Il peut avoir une forme animale, mais ce n'est jamais une figure humaine», résume Stanley Vollant.

Il fait remarquer que la genèse des Premières Nations peut trouver un sens dans l'histoire biblique. Pour Moïse, Dieu prend une forme dématérialisée et symbolique avec le buisson ardent. «C'est une manifestation de la présence de dieu. Cette image est très recevable pour les Indiens.»

Cela dit, les religions chrétiennes ont germé de façon tellement efficace dans les Premières Nations du Québec qu'elles sont devenues, dans certains cas, plus catholiques que le pape... En témoignent des événements comme la neuvaine de la cathédrale de Sainte-Anne-de-Beaupré ou les pèlerinages à l'oratoire Saint-Joseph, où des milliers de fidèles convergent chaque année à partir des réserves. «Les autochtones sont nombreux à tourner le dos à leurs propres légendes et coutumes, au profit du rituel catholique. Quand je parle de spiritualité traditionnelle dans certaines communautés, je sens que mon discours est accueilli avec scepticisme. Je passe pour un illuminé. Cela me semble malheureux.»

N'a-t-il pas déjà pesté contre Manitou à propos des difficultés de l'existence? La mort accidentelle de son grand-père, la toxicomanie de sa mère, ses déboires personnels? «Jamais. On ne peut pas en vouloir à Dieu pour les événements tristes de notre vie. Il n'en est pas responsable. Pas plus qu'on ne peut lui demander de nous aider à gagner à la Lotto 649. Gitche Manitou est une énergie pure, qu'il faut saisir et utiliser à des fins positives.»

À l'approche de la cinquantaine, il ne fréquente plus les églises catholiques qu'au moment des mariages et des funérailles. «Mon temple, c'est la forêt. C'est là que je trouve les meilleures conditions de recueillement. Je m'en suis rendu compte durant une saison de chasse à l'île d'Anticosti en 1990. Le fait de passer des journées complètes, seul dans ma cachette à l'affût du gibier, m'a rendu un peu plus contemplatif. Mes expéditions sont venues me le confirmer.

Le fait de me retrouver dans la nature, ça m'aide à trouver un sens à ma vie.»

La prière n'a jamais cessé pour Stanley, qui incite son fils Xavier à se joindre à lui au moment d'adresser une pensée au Manitou, chaque soir, avant le coucher. «On le remercie pour la journée qu'on a passée, la nourriture qu'on a consommée et la santé qu'on a conservée. On prie pour les gens que nous aimons. Frères, sœurs, parents, cousins, amis. On demande à dieu de nous aider à trouver des moyens d'être une personne meilleure. Répandre le bien autour de nous.»

La foi permet à Stanley Vollant d'apprivoiser l'idée de la mort. «Je crois que je pourrais mourir maintenant sans avoir de regrets. Je serais déçu de partir si tôt, car j'ai encore beaucoup à faire et à voir, mais s'il m'arrivait un accident ou si j'étais emporté par une maladie, j'aurais la satisfaction d'être en paix avec moi et avec les autres.»

Il a vu beaucoup de gens mourir et ceux qui traînent des amertumes partent avec autant de boulets sur la conscience. De plus, dans les hôpitaux, les athées ont plus de difficultés à apprivoiser la mort. «Ils trouvent difficile de concevoir qu'il n'y aura rien après. Le néant, moi aussi, me ferait peur.»

Le sens de la vie? Stanley admet y avoir beaucoup réfléchi. Laisser une trace pour les générations futures est important à ses yeux. «Je crois que c'est d'optimiser nos forces pour les rendre utiles aux autres. Chacun d'entre nous a la responsabilité de rendre le monde meilleur.»

C'est ce traîneau traditionnel qui accompagne Stanley Vollant durant les marches hivernales.

L'expédition Innu Meshkenu (le chemin innu) a débuté sur la Côte-Nord du Québec.

Mon chemin

Le Compostelle autochtone

Les écoliers de la réserve attikamek ont déserté leur salle de classe pour se joindre aux centaines de personnes venues assister au départ de cette étape de l'expédition Innu Meshkenu (le chemin innu), en ce 20 février 2012. Un pèlerinage de 6 000 kilomètres étalé sur cinq ans, qui traversera les territoires des 11 nations autochtones disséminées entre le Labrador et l'Ontario[26].

Raquettes aux pieds et tirant leurs traîneaux, les marcheurs peinent à se frayer un chemin à travers la petite foule massée aux abords du réservoir Gouin, cette mer intérieure deux fois plus grande que le lac Saint-Jean. Dans une atmosphère à la fois festive et recueillie, tous veulent saluer l'âme du groupe, l'instigateur de cette randonnée, le Dr Stanley Vollant.

Le chef de la réserve, Christian Awashish, et quelques villageois étirent leurs adieux jusqu'à la presqu'île du réservoir. Devant les marcheurs s'étend le désert blanc, une route de neige de 293 km. La véritable aventure peut commencer.

Pour cette quatrième étape – 15 jours en territoire attikamek –, le Dr Vollant est accompagné par deux autres Innus, 30 Attikameks et un Blanc, l'auteur de ces lignes. Les 6 700 Attikameks, concentrés pour la plupart dans les réserves d'Obedjiwan, Wemotaci et Manawan, connaissent depuis 30 ans une forte croissance démographique. Mais aussi la violence familiale, la toxicomanie et le suicide.

---

26. Une version de ce récit a été publiée dans *L'Actualité*, édition du 16 décembre 2012: «Le Compostelle autochtone».

Sa marche Innu Meshkenu, le Dr Vollant l'a d'abord imaginée pour inspirer les jeunes des différentes communautés rencontrées le long du parcours. Pour leur donner envie de rêver et d'aller au bout de leurs ambitions. Mais c'est vite devenu un parcours initiatique... Le tiers des marcheurs qui s'apprêtent à traverser la surface gelée du réservoir Gouin, première épreuve de la traversée entre Obedjiwan et Manawan, sont des femmes. Le plus jeune du groupe a 14 ans, le plus vieux 69. Tous devront affronter le froid, la fatigue – et leurs démons.

Tracy Wabana Awashish, 22 ans, est encore ébranlée par deux tragédies survenues coup sur coup dans sa famille. Sa sœur Alicia, 20 ans, a été trouvée pendue le 2 octobre 2009 dans le cabanon de la maison familiale. Son jeune frère, Sakiha, 10 ans, est mort deux ans plus tard, le 6 novembre 2011, victime d'un accident de chasse. «À chaque pas dans la neige, je pense à eux et je prie», dit la jeune femme aux yeux bleus.

Le rapport du coroner, qui est sans ambiguïté quant à la cause de la mort d'Alicia, mentionne que la jeune femme «a été élevée dans une famille dysfonctionnelle où il se consommait beaucoup de drogues et d'alcool. Ayant elle-même des problèmes majeurs de consommation, elle aurait été hospitalisée à plusieurs reprises pour tentatives de suicide avec des médicaments ainsi qu'une tentative de suicide par balle, il y a trois ans.»

Rien de plus réjouissant pour le petit Sakiha. De retour de la chasse, la famille Awashish ne s'attendait pas à ce qu'une balle perdue, provenant du fusil de chasse tenue par un membre non identifié, parte faucher la vie de l'enfant de 10 ans, dont la tête sortait de la cabine de la camionnette. «Nous constatons, dans cet événement, qu'un mauvais entreposage ainsi qu'une mauvaise manipulation d'une arme à feu ont contribué à cet accident qui a coûté la vie à monsieur Sakiha Awashish», signale le coroner Carol Gagné dans son rapport du 12 décembre 2012.

Tracy Wabana Awashish a décroché de l'école à 19 ans. Elle a répondu à l'appel lancé aux Attikameks par le Dr Vollant et s'est jointe à lui pour cette étape. Elle a entrepris cette marche comme une thérapie et franchira la distance malgré la douleur aux jambes et les ampoules aux pieds. Dans ses prières, la jeune femme s'adresse à Gitche Manitou et à «Dieu le père tout-puissant». Les Attikameks ont été convertis par les colons au catholicisme – et à la langue française, que tous parlent en plus de l'attikamek.

Peu loquaces, la quinzaine de femmes marchent sans s'arrêter. Plusieurs prient pour la guérison d'un être cher ou vivent un deuil. Entre autres, Nathalie Dubé, d'Obedjiwan, qui porte au bout de son bâton de marche un drapeau sur lequel est imprimé le visage de son frère, mort l'été précédent en forêt. Ils cueillaient des bleuets ensemble lorsque son cœur s'est arrêté. «Il aimerait être avec nous en ce moment», dit Nathalie.

Les premiers jours de la randonnée sont un cauchemar pour six jeunes décrocheurs de 14 à 17 ans, qui tentent depuis des mois de cesser de consommer de la drogue. Ce périple est pour eux «une bonne occasion de commencer à se reconstruire», commente Aurèle Dubé, éducateur spécialisé au Centre de réadaptation pour jeunes en difficulté, Mamo, à La Tuque, qui les encadre. Marchant dans la vallée de la rivière Manouane, il ajoute : «Ils ne comprennent pas ce qu'ils sont venus faire ici et ils souffrent. Je leur dis de faire un pas à la fois et de ne pas penser à la distance qui reste à faire. Sinon, le découragement les gagne.»

Le thermomètre oscille entre 0 °C et 30 °C au-dessous de zéro ; la neige ralentit les pas. Bien avant l'aube, le réveil sonne dans les tentes. Après le déjeuner (à 7 h), tout le groupe se réunit autour du feu, dans un grand cercle, pour réciter une prière bilingue, en français et en attikamek.

Partis chaque matin à 9 h, les marcheurs accumulent les kilomètres jusqu'en fin d'après-midi – 15 km la plus petite journée, 26 km la plus longue. Les retardataires et les personnes trop épuisées ou blessées sont secourus en motoneige, un véhicule qui sert d'ambulance, de cargo et de «coursier» pour le groupe. Au cours des deux semaines, 15 personnes devront être accompagnées jusqu'au campement. Une seule a abandonné définitivement le périple, après deux jours. En revanche, six marcheurs se sont joints à la procession en cours de route et ont atteint l'objectif.

Deux spécialistes du tourisme d'aventure rattachés au Centre des Premières Nations Nikanite (Université du Québec à Chicoutimi), Jean-Charles Fortin et Marc-André Galbrand, assurent l'encadrement et la logistique. Il faut transporter l'équipement pour les campements, mais aussi 1,8 tonne de nourriture.

«Je pense beaucoup à mon père, qui avait ses terres ici», raconte Réginald Flamand, 45 ans, de Manawan, à environ 75 km au nord-ouest de Saint-Michel-des-Saints, dans Lanaudière. «Quand je pense qu'il devait transporter tout son matériel sur son traîneau, ça me fait réfléchir sur notre confort. Ces gens-là n'avaient pas la vie facile. Pour nous, c'est le gros luxe», dit-il en montrant la motoneige chargée d'équipement qui passe, comme chaque fin d'après-midi, pour aller préparer le bivouac du soir.

La journée a été rude pour tout le monde. Il faut pourtant encore monter les tentes, couper les branches de sapinage qui serviront d'isolant sous les lits, répartir le bois de chauffage apporté par les motoneigistes et préparer les repas. Heureusement, les femmes ont prévu les soupers, qui arrivent congelés : soupe au doré, ragoûts d'orignal, d'oie sauvage et de castor. Le tout agrémenté de banique.

Les ancêtres des autochtones ont transmis à leurs descendants une remarquable endurance, souligne Stanley Vollant, qui participe de bon cœur à toutes les tâches. «Malheureusement, aujourd'hui, beaucoup ne prennent pas soin de leur santé et de leur alimentation. Ils consomment trop d'hydrates de carbone et de lipides. Résultat, ils sont sujets à l'obésité, à l'hypertension et au diabète, des maladies de "Blancs" inexistantes il y a quelques générations.»

La marche est, selon lui, une cure quasi miraculeuse. Elle peut être pratiquée par tous, sans frais, en toute saison. En prime, elle symbolise un attachement au mode de vie traditionnel des autochtones.

Chez les jeunes du groupe, qui vont mieux après trois jours de marche, une joyeuse compétition s'installe pour arriver le premier au campement le soir et recevoir les accolades des accompagnateurs.

Chaque fin de journée, le docteur tient une clinique improvisée. Il ausculte, panse les plaies, distribue des comprimés et donne des conseils aux marcheurs: «Léopold, tu dois boire beaucoup d'eau, même si c'est l'hiver et qu'il fait froid.»

Le Dr Vollant impressionne par sa culture mais, aussi, par sa détermination. Avec sa chevelure terminée en queue-de-cheval, ses yeux noirs et sa peau foncée, le Dr Vollant a l'air «indien». Ce n'est pas un hasard si cette vedette montante des Premières Nations est accueillie en héros partout. Le médecin au physique d'athlète répète aux enfants d'être fiers de leur identité et de ne pas lâcher l'école. «Un jour, je reviendrai ici me faire soigner pour mes articulations, et c'est toi qui seras mon docteur!», a-t-il lancé, la veille du départ, à un enfant de l'école primaire Niska, à Obedjiwan, en lui plaçant son stéthoscope autour du cou.

Stanley Vollant se fait un devoir de livrer ce message à un maximum de jeunes. La veille du départ, en dépit d'une bronchite et d'un début de pneumonie qui auraient dû le clouer au lit, ainsi que d'une côte fracturée, il a prononcé cinq conférences dans des classes du primaire et autant à l'école secondaire. Sans compter ses allocutions à la radio communautaire et au *makokan* (festin) donné en son honneur par le conseil de bande d'Obedjiwan.

Son cousin Éric Hervieux, policier innu de Pessamit, accompagne le Dr Vollant depuis les tout premiers kilomètres du chemin innu, à Blanc-Sablon, en octobre 2010. «Au premier village, il n'y a eu qu'un chien venu à notre rencontre.» «Mais c'était le chien du chef», corrige en riant Stanley Vollant.

Éric Hervieux est le plus en forme: toujours le premier prêt à décoller le matin, souvent le meneur de la randonnée. Il est surpris par l'ampleur de la popularité du chemin innu, dont la réputation s'étend désormais dans le reste du Canada. «Ça n'a pas de prix pour les jeunes qui manquent de modèles.»

Pour l'aîné des marcheurs, William Awashish, entrepreneur d'Obedjiwan, le voyage revêt un caractère historique, sinon sacré. «Ça ne s'est pas fait depuis deux générations au moins, ce voyage à pied entre Obedjiwan et Manawan sur le territoire attikamek», dit-il la veille du grand départ, devant un ragoût d'orignal, dans le gymnase de l'école secondaire Mikisiw. «Ça nous donne la chance de relever un défi extraordinaire.»

L'homme a fréquenté les pensionnats autochtones lorsqu'il était d'âge scolaire. Il aurait pu étudier à La Tuque, mais on a préféré l'envoyer à Amos, en Abitibi, pour éviter qu'il ne vienne retrouver sa famille à travers les bois. Pour rentrer d'Amos, il lui aurait fallu faire trois jours de canot depuis le relais ferroviaire. Il ne retrouvait donc les siens qu'en mai et repartait en septembre.

Quelques dizaines d'Attikameks – dont la femme de William Awashish, qui a connu le même sort que lui – ont été dédommagés financièrement en 2011 par le gouvernement fédéral, qui a reconnu que ces écoles visant l'assimilation étaient une erreur du passé.

Le 15e jour, Stanley Vollant n'est pas dans le grand cercle pour la prière lorsque le groupe se rassemble après le déjeuner. «Un matin sibérien où le mercure a atteint −30 °C, note-t-il dans son journal. J'en ai eu pour cinq kilomètres avant de me réchauffer.» Il s'était levé à 3 h, avait roulé son sac de couchage, ficelé ses bagages sur son traîneau et était parti, seul, en direction de Manawan. Sa silhouette s'est enfoncée dans la nuit, précédée du faisceau de sa lampe frontale.

Il a marché sans arrêt pour être à 9 h à la porte de l'école primaire Simon Pinecic Ottawa, à Manawan. Pile pour la première de ses conférences. Il avait sa petite valise de docteur et beaucoup d'espoir à distribuer.

Des retombées marquantes

Directeur de l'école secondaire de Manawan, Guy Niquay voit des dizaines de ses élèves sortir durant l'heure du dîner pour se rendre, à pied, sur une petite montagne à l'orée du village. Ils y mangent leurs sandwiches et reviennent à temps pour le début des cours. «On ne voyait pas ça avant», affirme, ravi, cet ancien professeur d'éducation physique devenu directeur en 2006.

Avant quoi? Avant le passage du Dr Vollant, bien entendu. Les marcheurs attikameks de 2012 ont traversé, en plein hiver, le territoire ancestral de cette nation de la Haute-Mauricie. Pour cette épreuve et pour celle qui a suivi l'année d'après (374 kilomètres entre Manawan et Lac-Rapide, en Outaouais, où 54 marcheurs ont participé), des dizaines de personnes de tous les âges se sont entraînées et ont modifié leurs habitudes afin de pouvoir suivre la cadence.

Jadis nomades, les Amérindiens ont perdu l'habitude de se déplacer avec leurs pieds. Résultat : ils souffrent, comme la plupart des Nord-Américains, des problèmes liés à la sédentarité. À des taux affolants de diabète, d'obésité et de dépendance aux substances toxiques, s'ajoutent les problèmes de suicide : un taux six fois plus élevé que dans la population canadienne. «La marche est une activité à la portée de tous et présente l'avantage de nous replonger dans un mode de vie que nos ancêtres ont connu», commente le Dr Vollant au cours d'une entrevue en marchant. Crinière au vent, il ne manque pas une occasion de plaider la cause de la santé – et des échanges interculturels.

Sensible à la détresse des siens, il croit trouver dans ce projet rassembleur une solution aux problèmes autochtones. La grande marche lui apparaît comme la clé.

Seul ou avec d'autres, il compte marcher plus de 6 000 kilomètres entre 2010 et 2015 au rythme d'environ 1 000 kilomètres par année, du Nouveau-Brunswick à l'Ontario. À ce jour, plus de 3 000 kilomètres ont été franchis, du Labrador à l'Outaouais. Près d'une vingtaine de communautés ont été visitées, tandis que plus de 20 000 personnes ont assisté aux rencontres animées par le Dr Vollant durant son parcours.

Les retombées de cette grande marche sont tangibles. «Innu Meshkenu a un effet direct sur les communautés autochtones, constate Jean-Charles Fortin, coordonnateur du projet. Les marcheurs nous rapportent qu'ils ont modifié leurs comportements : arrêt de consommation de tabac, d'alcool et de drogues chez plusieurs marcheurs, perte de poids importante (certains marcheurs ont perdu près de 15 kg durant leur périple), retour à l'école de jeunes marcheurs, création de clubs de marche et j'en passe.»

Audrey Petiqway, 22 ans, de Wemotaci, a participé à la première marche. Peu habituée aux exercices physiques, elle a tellement souffert qu'elle a dû accepter de monter dans la motoneige pour finir son parcours. L'année suivante, elle voulait mieux se préparer. Avec quelques amis, elle a créé un club d'activités physiques ouvert à tous. Le groupe a d'abord fait un tour du bloc, puis un circuit de 2 kilomètres, et les sorties se sont allongées. La plus grande marche totalisait 24 kilomètres. Jusqu'à 30 personnes sont venues dans son club. Sur quatre saisons, on marche, skie et randonne comme jamais sur le territoire ancestral attikamek. «Cette année, je me sens en pleine forme et les jeunes qui m'accompagnent en redemandent», dit-elle, au milieu des tentes traditionnelles qui ont été montées pour le groupe de randonneurs, à quelques kilomètres de Maniwaki.

Le groupe mange des ragoûts d'orignal et de castor et de la soupe au doré, et Audrey participe de bon cœur aux corvées. «Innu Meshkenu, ça devrait être organisé chaque année, reprend l'agente de promotion des saines habitudes de vie au Conseil de bande de Wemotaci. En plus de nous permettre de pratiquer de l'exercice physique, ça nous met en relation avec des modes de vie ancestraux qu'on avait un peu oubliés: le travail en équipe, le partage des tâches collectives, l'entraide...».

Recommandée par les organismes de promotion des activités physiques, la marche aide à prévenir l'obésité. Elle permet aussi de mieux contrôler le diabète, de diminuer les symptômes de dépression, de réduire la tension artérielle et de se protéger contre l'arthrose. D'ailleurs, Québec en forme finance depuis 2011 Innu Meshkenu, dont les objectifs correspondent aux axes favorisés par l'organisme. Rencontrée au 175ᵉ kilomètre de la marche hivernale de 2013, la porte-parole Sylvie Bernier vante les vertus de l'expédition entreprise par Stanley Vollant. «Ce qu'il met en valeur ne vaut pas que pour les autochtones, dit l'ancienne plongeuse olympique, médaillée aux Jeux de Los Angeles, en 1984. L'exercice physique devrait faire partie intégrante de nos habitudes, qui qu'on soit.»

Innu Meshkenu a permis à une étudiante colombienne, Angela Brunschwig, d'y réaliser son stage de maîtrise en anthropologie à l'Université du Québec à Chicoutimi. «Pour plusieurs, ce fut l'occasion d'abolir les préjugés et de se livrer à une meilleure compréhension de l'autre dans sa différence, mais aussi dans ses similitudes», écrit-elle dans son rapport de stage.

La marche a également eu un effet thérapeutique. «Plusieurs hommes et femmes ont partagé avec nous leur souffrance liée à la disparition d'un fils, d'un mari, d'une nièce ou d'un neveu. Être dans la forêt pour marcher permet de «se ressourcer et de trouver la force nécessaire pour faire le point», confie Stéphanie. Aussi «rencontrer d'autres personnes qui traversent un deuil» permet de se sentir moins seul et de «partager nos histoires».

Parmi les marcheurs, tous ont une motivation particulière. Mélanie Petiqway, agente de motivation scolaire à Manawan, a joint le groupe pour faire connaître le cas de sa petite-fille, Marie-Ange, atteinte d'une maladie des os très grave et sans cure connue : l'ostéogenèse imparfaite. «On appelle les enfants atteints les bébés porcelaine. Leurs os se cassent facilement et ils souffrent beaucoup. J'espère qu'elle pourra marcher un jour. Ma marche lui est dédiée.»

Pour les Blancs intégrés dans le groupe, il s'agissait d'une rare occasion d'entrer en contact avec des autochtones. «J'ai appris énormément, juste à les observer, illustre Jesse Schnobb. Après tout, certains d'entre eux sont nés dans des tentes et ont connu la vie de nomade.» Pourtant, ce diplômé en tourisme de plein air s'est maintes fois porté au secours des marcheurs attikameks. Il leur a donné des conseils sur la gestion de l'énergie et la thermorégulation, des concepts appris à l'école, mais que les ancêtres nomades maîtrisaient parfaitement.

Guy Niquay trouve que cet enthousiasme collectif pour l'activité physique est la meilleure chose qui pouvait arriver à sa communauté. «Je n'ai rien contre les soirées de valorisation de la culture traditionnelle, mais ce qui me semble vraiment utile, ce sont ces changements dans la mentalité. Quand j'ai été nommé directeur de l'école, des gens m'ont dit que ça prenait une bedaine pour occuper ce poste. C'était pour rire, mais il y avait un fond de sérieux là-dedans. Pour avoir une promotion, dans la tête des gens, il faut être gras. Moi, je n'ai pas de bedaine et je n'en veux pas. »

Longtemps, ce diplômé de l'Université du Québec à Chicoutimi était le seul à courir le long de la piste de course, le midi. Aujourd'hui, on le regarde avec admiration. Des gens courent même avec lui à l'occasion. À son plus grand bonheur.

La vie continue

Les préjugés envers les Indiens sont tenaces : on les dit paresseux, alcooliques, pauvres et sans avenir. Sans oublier qu'ils vendent illégalement des cigarettes et font le trafic de la drogue sur le marché noir.

Stanley Vollant veut changer cette perception erronée. Il réfute qu'être autochtone, c'est avoir plus de chances d'échouer. «Quand j'étais à l'école et que je me faisais écœurer par les écoliers à cause de mon identité, je voulais leur faire comprendre qu'ils avaient tort de penser comme ça. Je voulais leur montrer que n'importe qui pouvait réussir. Il ne faut pas étouffer notre identité, mais au contraire en être fiers. Nous sommes issus de peuples nomades millénaires qui ont su s'adapter dans des conditions difficiles, parfois extrêmes, et survivre jusqu'à aujourd'hui avec une technologie, une organisation sociale, un savoir et des coutumes qui nous sont propres. »

Mais dégonfler des préjugés, ça peut être long. Parfois, les autochtones eux-mêmes participent à la construction de leur image négative. Reprenant un discours postcolonialiste, ils veulent tuer l'Indien en eux en renonçant à leur langue et en rejetant le mode de vie traditionnel.

Stanley Vollant, lui, prie quotidiennement Gitche Manitou, arbore fièrement une plume d'aigle lorsqu'il donne une conférence publique et porte les marques permanentes de son initiation à la Danse du soleil des Indiens des plaines. Il n'a pas honte d'être indien, au contraire. «Affirmer notre appartenance collective ne signifie pas rejeter la modernité. Nous pouvons accéder à n'importe quelle profession grâce au système scolaire public de notre pays. Cela peut nous permettre, Premières Nations, d'accéder aux clés de notre libération.»

À l'image d'un Gandhi des temps modernes, il a entrepris une grande marche des peuples autochtones qui se veut fraternelle et multiculturelle. C'est la main tendue des Premières Nations envers les autres Québécois et Canadiens. L'histoire ne s'arrêtera pas là. Le récit biographique de Stanley Vollant n'est pas terminé.

Des marcheurs en route vers Wemotaci, près de La Tuque. ⟶